Les mammifères

Cet ouvrage a été conçu et réalisé par Weldon Owen Pty Limited
Copyright © 1996 Weldon Owen Pty Limited
Pour l'édition française :
© Nathan, (Paris-France 1997

Directeur général : John Owen
Président : Terry Newell
Éditeur : Sheena Coupe
Directeur artistique : Sue Burk
Responsable de l'iconographie : Jenny Mills
Recherche iconographique : Karen Burgess, Carel Fillmer, Sue Liu
Direction de la fabrication : Caroline Webber
Assistante de fabrication : Kylie Lawson
Responsable des droits étrangers : Stuart Laurence

Texte : Carson Creagh
Adaptation française : Marc Duquet

Illustrateurs : Alistair Barnard, André Boos ; Martin Camm ; Simone End ;
Christer Eriksson ; Tim Hayward/Bernard Thornton Artists, UK ;
David Kirshner ; Frank Knight ; John Mac/Folio ; James McKinnon ;
Trevor Ruth ; Peter Schouten ; Kevin Stead ; Rod Westblade

ISBN : 2 09 277216-3

Numéro d'éditeur : 1 00 67 779

Composition : PFC - Dole

LES CLÉS DE LA
CONNAISSANCE

Les mammifères

TRADUCTION ET ADAPTATION

MARC DUQUET

NATHAN

Sommaire

VIE DE FAMILLE
Le Lion est un mammifère typique pour plusieurs raisons. Il est couvert de fourrure, recherche à manger en groupe et ses jeunes ont besoin d'être protégés et allaités. Les mammifères s'occupent de leurs petits plus longtemps que les autres vertébrés.

UN LONG SOMMEIL
La nourriture étant rare en hiver, beaucoup de mammifères économisent l'énergie stockée sous forme de graisse, en dormant durant une longue période. C'est l'hibernation. Ils abaissent alors la température de leur corps, et leurs rythmes cardiaque et respiratoire.

• LE MONDE DES MAMMIFÈRES •

Généralités

La plupart des animaux familiers – chiens, chats, lapins – et domestiques – vaches, chevaux – sont des mammifères. L'homme est lui-même un animal. Les mammifères appartiennent à un groupe d'animaux appelés vertébrés, qui ont tous des vertèbres. Ce sont des animaux à sang chaud : ils ont une température corporelle constante, que leur environnement soit chaud ou froid. Il existe environ 4 000 espèces de mammifères et la plupart ont le corps couvert de poils ou de fourrure. Mis à part l'Ornithorynque et les échidnés, tous les mammifères donnent naissance à des petits entièrement formés. Les mammifères sont des descendants des reptiles qui ont plusieurs os dans la mâchoire inférieure, alors que les mammifères n'en ont qu'un.

DE L'OREILLE ET DU FLAIR
L'Oryctérope possède un gros nez et de grandes oreilles. Comme beaucoup d'autres mammifères, son ouïe et son odorat sont très développés.

TERRIBLE GROGNEMENT
Comme beaucoup d'autres mammifères, le Loup chasse en groupe. Celui-ci montre les crocs pour indiquer aux autres loups qu'il a faim.

DIVERS TYPES DE MAMMIFÈRES

Les trois principaux groupes de mammifères sont les Monotrèmes, les Marsupiaux et les Placentaires. Les monotrèmes (l'Ornithorynque et les échidnés) ont de nombreux points communs avec leurs ancêtres reptiliens. Ils ont un seul orifice, appelé cloaque, pour la reproduction et le rejet des déchets, et pondent des œufs. Chez les marsupiaux (opossums et kangourous, par exemple), les femelles mettent au monde des petits incomplètement développés, qu'elles protègent dans une poche jusqu'à ce qu'ils se débrouillent seuls. Les petits des mammifères placentaires, comme les galagos ou les chiens, sont nourris dans le corps de la femelle par un organe spécial appelé placenta et naissent donc plus développés que les marsupiaux.

Ornithorynque

Wallaby

Galago

LE SAVIEZ-VOUS ?

Plus un mammifère est petit, plus son cœur bat vite. En une minute le cœur d'une musaraigne bat environ 200 fois, un cœur humain 65 fois et celui d'un éléphant 25 fois.

Conçus pour survivre

DRÔLE DE NEZ
L'étrange Taupe à nez étoilé d'Amérique du Nord se sert de ses larges pattes avant pour creuser le sol. Elle mange des vers de terre et des insectes qu'elle détecte avec son nez en étoile très sensible.

Les mammifères sont parmi les animaux les mieux adaptés pour survivre. Grâce à la température constante de leur corps, ils se sont adaptés à la plupart des environnements. Ils se sont ainsi acclimatés à la vie dans la jungle, dans le désert et en haute montagne ; dans les régions polaires ; dans l'air et dans les arbres ; sous terre et sous l'eau. Ils se sont aussi adaptés en changeant d'habitat. Les ancêtres des chevaux actuels, par exemple, vivaient en forêt et étaient de petite taille pour se faufiler entre les arbres et dans les sous-bois. Pour survivre dans les plaines dégagées, ils sont devenus plus grands et plus puissants afin de migrer à la recherche de nourriture fraîche, et plus rapides pour échapper aux prédateurs des plaines.

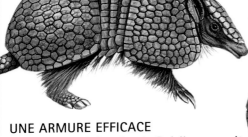

UNE ARMURE EFFICACE
Le Tatou à trois bandes du Brésil se nourrit la nuit. S'il est attaqué par un prédateur, comme un puma, il se roule en boule et utilise sa peau cornée comme une armure.

Roussette à tête cendrée (mâle/femelle)
Longueur : 28 cm
Envergure : 80 cm
Poids : 800 g

Gorille (mâle)
Hauteur (à quatre pattes) : 1,60 m
Poids : 170 kg

Homme (femelle)
Hauteur : 1,60 m
Poids : 50 kg

Atèle à mains noires (femelle)
Hauteur : jusqu'à 60 cm
Poids : 4 kg

UNE GRANDE DIVERSITÉ
Les mammifères ont évolué en différentes formes qui leur permettent de vivre presque partout. Les tailles données ici sont les tailles moyennes de chacun de ces mammifères.

Rorqual bleu (femelle)
Longueur : 28 m
Poids : 90 tonnes

Lion de mer d'Australie (mâle)
Longueur : 2,10 m
Poids : 300 kg

Gemsbok (mâle)
Hauteur : 1,20 m
Poids : 200 kg

Un Air de Famille

Certains mammifères se ressemblent et vivent de la même façon, bien qu'ils ne soient pas apparentés et habitent dans des régions du monde distinctes. On appelle ce phénomène évolution convergente. Beaucoup de mammifères australiens ressemblent ainsi à des mammifères éloignés vivant ailleurs. Le Possum rayé a un très long doigt mince comme celui de l'Aye-aye de Madagascar, dont ils se servent tous deux pour extraire des larves des arbres. Comme les pangolins d'Afrique et d'Asie, les échidnés ont un long nez, une grande langue collante et pas de dents. Le Koala ressemble aux paresseux d'Amérique du Sud. Tous deux vivent dans les arbres, mangent des feuilles et se déplacent lentement.

Aye-aye

Possum rayé

Échidné à nez court

Pangolin

Koala

Paresseux

ÇA PLANE
En dépit de leur nom, les écureuils volants ne volent pas. Ils planent d'un arbre à l'autre, en étendant une membrane de peau qui relie leurs pattes avant et arrière, et agit comme un parachute.

TENUE D'HIVER
Les mammifères qui vivent dans un environnement très froid, comme l'Arctique, s'adaptent aux différentes saisons en changeant de couleur. Ce Renard polaire a un pelage brun en été, mais une fourrure blanche pour se camoufler en hiver.

Girafe (mâle)
Hauteur : 5 m
Poids : 1200 kg

Castor (mâle/femelle)
Longueur : 1 m
Poids : 30 kg

Éléphant d'Afrique (mâle)
Hauteur : 3,40 m
Poids : 5 tonnes

Rhinocéros noir (mâle)
Hauteur : 1,50 m
Poids : 1300 kg

Pour en savoir plus, rendez-vous à la page 12 : *Se nourrir.*

BRAVE CHIEN
Cynognathus, dont le nom signifie « mâchoire de chien », est un reptile ressemblant à un mammifère qui vivait il y a 240 millions d'années environ. Il mesurait 1 m de long, mais sa tête à l'énorme mâchoire atteignait plus de 30 cm.

RECONSTITUER UN MAMMIFÈRE
Les os fossiles sont la preuve de l'existence d'animaux disparus. À partir de ces fossiles, on peut reconstituer un modèle, comme ce *Thylacoleo*, animal carnivore et arboricole apparenté aux kangourous actuels.

• LE MONDE DES MAMMIFÈRES •

Les origines

Les premiers mammifères étaient de petits animaux de 12 cm de long, semblables à des musaraignes. Apparentés aux Monotrèmes actuels, ils sont apparus au cours du Trias, il y a quelque 220 millions d'années. Ils descendaient de reptiles appelés Thérapsides qui vivaient il y a 300 millions d'années environ. Ces mammifères primitifs ont évolué en différents groupes au cours du Jurassique et du Crétacé (de -208 à -65 millions d'années). La plupart de ces mammifères primitifs étaient carnivores, mais certains, comme les multituberculés, dont la taille variait entre celle d'une souris et celle d'un castor, étaient arboricoles et mangeaient des plantes. Les ancêtres des Marsupiaux, Insectivores et Primates actuels sont apparus au Crétacé (de -145 à -65 millions d'années). Lorsque les dinosaures disparurent à la fin du Crétacé, ces mammifères modernes se répandirent sur tous les continents et évoluèrent en plusieurs milliers de nouvelles espèces.

LE SAVIEZ-VOUS ?
Les dromadaires et leurs parents proches vivent aujourd'hui en Afrique, Asie et Amérique du Sud. Leurs ancêtres sont apparus en Amérique du Nord, mais en ont disparu au cours du Pléistocène, il y a 12 000 ans environ.

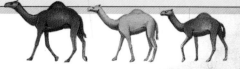

UN ANCÊTRE À CRÊTE
Dimetrodon était un reptile mammalien. Il appartenait à un groupe d'animaux qui avaient de gros orifices dans leur squelette en arrière des yeux. Les mammifères ont évolué progressivement à partir de membres de ce groupe.

LE PREMIER MAMMIFÈRE

Megazostrodon, qui vivait en Afrique il y a environ 220 millions d'années, est le plus vieux mammifère connu. Ce mangeur d'insectes ne mesurait que 12 cm et pondait probablement des œufs comme les Monotrèmes actuels.

LE PREMIER HOMME

Le plus vieil être humain connu est *Australopithecus afarensis*, qui vivait dans le nord de l'Afrique voici à peu près 3 millions d'années. Mesurant environ 1,20 m de haut, *Australopithecus* fut d'abord identifié à partir d'une série d'empreintes trouvées dans des cendres volcaniques durcies. En 1974, le squelette d'un *Australopithecus* femelle, baptisé « Lucy », a été trouvé en Éthiopie.

ENCERCLER LA PROIE

Dans les plaines du nord de l'Afrique, il y a 40 millions d'années, un *Arsinoitherium* femelle défend son petit contre un groupe de *Hyaenodon*, des prédateurs longs de 1,20 m. *Arsinoitherium* mesurait presque 4 m de long ; il est cependant apparenté aux damans actuels, de la taille d'un lapin.

• LE MONDE DES MAMMIFÈRES •

Se nourrir

L es mammifères ont recours à diverses stratégies pour trouver
à manger. Certains sont chasseurs, d'autres sont charognards.
Certains migrent à la recherche de nourriture et d'autres la
stockent pour l'hiver. Les mammifères mangent presque de tout,
des plantes aux autres animaux. Les vampires – des chauves-souris –
se nourrissent de sang, les échidnés de fourmis, et une meute de loups
peut dévorer un élan. La quantité de nourriture absorbée est très
variable. Les très petits mammifères ne peuvent pas stocker beaucoup
d'énergie dans leur corps et doivent donc manger beaucoup. Une
musaraigne, par exemple, mange plus de l'équivalent de son propre
poids chaque jour, sinon elle meurt de froid. Le plus grand des
mammifères – le Rorqual bleu – mange aussi énormément. Ceci est
dû au fait qu'il grandit vite (un bébé gagne environ 90 kg par jour !)
et qu'il nage sur de longues distances pour trouver à manger.

Krill

Fanons

PASSOIRE GÉANTE
Les baleines à fanons
ont de longues plaques
cornées, ou fanons,
à la place des dents.
Elles filtrent au travers
des centaines de petites
crevettes de 5 cm de
long, appelées krill,
et les mangent.

EN ROUTE !

Beaucoup de mammifères herbivores migrent là où la nourriture abonde. Les rennes de l'Arctique voyagent sur la neige à la recherche d'herbe tendre.

JAMAIS SOIF

Le Gérénuk, ou Gazelle girafe, vit dans l'est de l'Afrique. Il est si bien adapté à la vie dans le désert qu'il n'a jamais besoin de boire. Grâce à son long cou, il accède aux tendres feuilles gorgées d'humidité des buissons et des arbres épineux.

GARDE-MANGER

L'Écureuil roux ramasse des noix, des noisettes et des graines et les cache dans un trou d'arbre en prévision de l'hiver.

PARTIE DE CHASSE

Beaucoup de mammifères carnivores coopèrent pour trouver à manger. Les baleines à bosses collaborent pour poursuivre les bancs de poissons. Dauphins, marsouins et phoques, lions, hyènes, loups et autres canidés chassent ensemble pour économiser l'énergie individuelle et permettre à chaque membre du groupe de manger à sa faim. Ici un groupe de lycaons encerclent un gnou.

En groupe

Certains mammifères, tels que ours, orangs-outans ou koalas, sont des animaux solitaires, qui se rassemblent seulement pour s'accoupler. Mais beaucoup de mammifères sont sociaux et vivent en groupes, ce qui présente de nombreux avantages. Les mammifères qui sont la proie d'oiseaux, de reptiles ou d'autres mammifères peuvent se défendre les uns les autres, ainsi que leurs petits. Comme le prédateur hésite entre plusieurs proies, la plupart des membres du groupe ont le temps de s'échapper. L'homme est le seul mammifère qui utilise des mots pour communiquer. Les autres mammifères sociaux utilisent les odeurs, les expressions faciales ou le langage du corps pour « parler » entre eux. Ainsi, les chiens remuent la queue de contentement et grognent en montrant les crocs quand ils sont agressifs. La plupart des mammifères communiquent pour exprimer aux autres membres du groupe comment ils se sentent ou pour les prévenir d'un danger.

SOLIDAIRES
Les suricates sont très sociaux et vivent en groupes compacts pour faciliter leur défense et l'élevage des petits.

BEAUCOUP DE COMÉDIE
Les combats sérieux sont rares chez les mammifères sociaux. Les éléphants de mer mâles se poussent, grognent et se mordent, mais ils se blessent rarement.

PREMIERS CONTACTS
Les mammifères sociaux passent beaucoup de temps à faire connaissance avant de s'accoupler, car la plupart des espèces élèveront les petits ensemble.

LA VIE DE FAMILLE

Les gibbons vivent dans le sud et le sud-est de l'Asie. Ce sont des singes sociaux qui se déplacent en groupes familiaux dans le haut des arbres, se nourrissant de fruits, de larves, d'insectes et de feuilles. Le jeune est sevré à deux ans, mais il reste avec sa famille jusqu'à ce qu'il soit complètement mature et participe à l'élevage de ses frères et sœurs plus petits.

L'Ornithorynque et les échidnés

À L'AVEUGLETTE
Des muscles puissants actionnent un repli de peau qui recouvre les yeux et les oreilles de l'Ornithorynque quand il plonge. Il utilise alors son bec sensible pour se guider sous l'eau.

L'Ornithorynque d'Australie, l'Échidné à nez court d'Australie et de Nouvelle-Guinée, ainsi que l'Échidné à long nez de Nouvelle Guinée sont des monotrèmes. Ces trois mammifères très primitifs ont beaucoup de caractères reptiliens, comme le cloaque, servant à rejeter les déchets du corps et à pondre. Ils ont une température corporelle inférieure à celle des autres mammifères et les échidnés hibernent. Ornithorynque et échidnés mâles possèdent un long éperon sur chaque patte postérieure. Chez l'Ornithorynque, celui-ci est relié à une glande à venin ; il est utilisé lors de combats entre mâles. Des organes spéciaux situés dans la peau coriace du bec de l'Ornithorynque détectent les mouvements des musaraignes, des crabes d'eau douce et d'autres invertébrés dont il se nourrit. Il en est de même pour les échidnés.

DÉJEUNER SUR L'EAU
L'Ornithorynque stocke ses proies dans des poches sous ses joues et les mange ensuite en flottant à la surface. Comme il n'a pas de dents, il broie sa nourriture entre sa langue et des plaques cornées situées dans sa bouche.

Imperméable
Sous l'eau, l'Ornithorynque garde les yeux et les oreilles parfaitement clos.

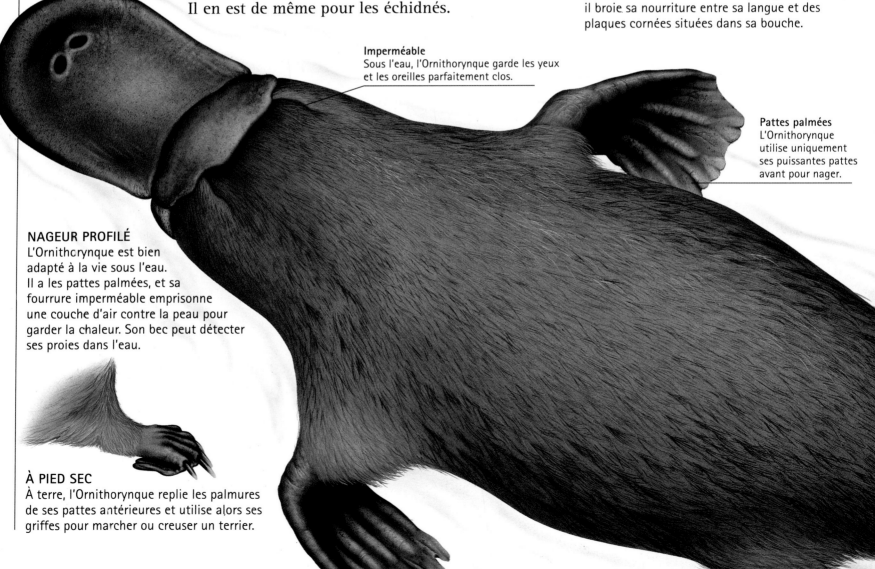

Pattes palmées
L'Ornithorynque utilise uniquement ses puissantes pattes avant pour nager.

NAGEUR PROFILÉ
L'Ornithorynque est bien adapté à la vie sous l'eau. Il a les pattes palmées, et sa fourrure imperméable emprisonne une couche d'air contre la peau pour garder la chaleur. Son bec peut détecter ses proies dans l'eau.

À PIED SEC
À terre, l'Ornithorynque replie les palmures de ses pattes antérieures et utilise alors ses griffes pour marcher ou creuser un terrier.

Un Mélange Troublant

Lorsque le premier spécimen d'Ornithorynque fut envoyé en Angleterre en 1798, de nombreux zoologistes crurent que cette étrange créature était un faux, composé de parties de différents animaux cousues entre elles. Il leur semblait impossible qu'un même animal ait un bec de canard, un corps de loutre et une queue de castor.

UN ANIMAL COLLANT

La langue de l'Échidné à nez court est quatre fois plus longue que son museau. Couverte de salive gluante, elle attrape des milliers de fourmis, de termites et d'autres petits insectes en une journée.

Griffes pour creuser
Les pattes antérieures, courtes et puissantes, de l'Échidné à nez court sont armées de griffes épaisses pour percer les parois très dures des termitières.

Manteau de fourrure
La fourrure dense de l'Échidné à nez court l'empêche de se refroidir. Des épines acérées, qui se hérissent ou s'abaissent grâce à des muscles spéciaux, le protègent des prédateurs.

Éperon venimeux
L'Ornithorynque mâle utilise l'éperon de ses pattes postérieures lors de combats avec d'autres mâles.

BALADE NOCTURNE

L'Échidné à nez court est nocturne et exploite un grand territoire d'alimentation. Il harponne les vers de terre grâce aux pointes dirigées vers l'arrière du bout de sa langue.

QUI S'Y FROTTE S'Y PIQUE

Pour échapper à un prédateur, les échidnés s'enterrent en creusant le sol meuble juste sous eux, ne laissant que leurs epines visibles.

Les Marsupiaux

Il existe environ 280 espèces de marsupiaux. Soixante-quinze d'entre elles sont des opossums qui vivent sur l'ensemble du continent américain, tandis que les autres, dont la taille, la forme et le mode de vie sont variés, se rencontrent en Australie, Nouvelle-Guinée et sur les îles avoisinantes. Cela va des souris à miel, de la taille d'une souris, qui se nourrissent de nectar et de pollen, aux grands kangourous atteignant 1,80 m, qui mangent de l'herbe et des plantes. Les marsupiaux vivent dans différents environnements, des déserts aux forêts équatoriales, dans des terriers, dans les arbres et au sol. Ils planent, courent, bondissent et nagent, et se nourrissent de plantes, d'insectes ou de charognes (la chair d'animaux morts) et de viande fraîche. Tous les marsupiaux ont une poche, qui est toutefois très petite chez certaines espèces. Comme le jeune naît à un stade très précoce de son développement, il se réfugie dans la poche et se nourrit du lait de sa mère jusqu'à ce qu'il soit assez âgé pour être indépendant.

C'EST DANS LA POCHE
Un bébé kangourou peut passer plusieurs mois dans la poche de sa mère, où il trouve chaleur et protection, avant d'être capable de survivre seul.

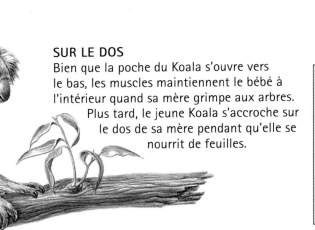

SUR LE DOS
Bien que la poche du Koala s'ouvre vers le bas, les muscles maintiennent le bébé à l'intérieur quand sa mère grimpe aux arbres. Plus tard, le jeune Koala s'accroche sur le dos de sa mère pendant qu'elle se nourrit de feuilles.

LE SAVIEZ-VOUS ?

En anglais, l'expression « faire le mort » se dit « playing possum » ce qui signifie « jouer à l'opossum ». Les opossums américains, en effet, font semblant d'être morts quand ils sont menacés. Tactique efficace car la plupart des prédateurs n'attaquent ni ne mangent un animal déjà mort.

TROUVER LA POCHE
Quand il naît, un wallaby n'est pas plus gros qu'une cacahuète. C'est pourtant seul qu'il se déplace de l'orifice natal jusqu'à la poche de sa mère, où il sera au chaud et en sécurité pendant les cinq à sept mois suivants.

COMBAT DE BOXE
La plupart des 59 espèces de wallabies et de kangourous vivent en groupes familiaux. Au moment des amours, la compétition entre mâles est féroce. Ils se livrent de véritables combats de boxe pour la conquête des femelles.

DRÔLE D'ANIMAL

Le dernier Loup de Tasmanie, ou Thylacine, connu fut capturé en 1933 et mourut en 1936. Depuis, malgré de nombreuses observations supposées, il n'y a eu aucune preuve que l'espèce existe encore. Le Thylacine ressemblait à un loup au pelage tigré, mais c'était un marsupial. Ses dents, sa tête et ses pattes avant étaient très semblables à celles d'un chien, mais il ne courait pas très vite et vivait seul ou en couple.

ENTRER DANS LA POCHE

Un jeune kangourou passe ses pattes avant et sa tête dans la poche de sa mère.

Il se roule de façon à ce que sa tête se trouve au fond de la poche.

Puis il se retourne afin de voir en dehors de la poche et être prêt à bondir.

TÊTE CHERCHEUSE
Les taupes utilisent leur nez pour trouver leurs proies. Leur petite queue est également couverte de poils sensibles qui détectent la présence d'un prédateur derrière elles dans leurs galeries.

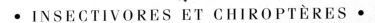

• INSECTIVORES ET CHIROPTÈRES •

Un nez pour outil

Il existe environ 4 000 espèces de mammifères et plus de la moitié se nourrissent – au moins en partie – d'insectes. Les Insectivores, un groupe de mammifères, mangent principalement des insectes, bien que certains mangent aussi des grenouilles, des lézards et des souris. Les 365 espèces d'insectivores comprennent des petits mammifères comme les musaraignes, les hérissons et les taupes. Les insectivores sont souvent solitaires et nocturnes. Ce sont des chasseurs rapides au cerveau assez petit, mais avec un odorat très développé, qu'ils utilisent beaucoup plus que leur vue. La plupart des insectivores ont aussi un long museau étroit pour repérer leurs proies, et jusqu'à 44 dents aiguisées. Un autre groupe de mammifères mangeurs d'insectes s'appellent les Édentés. Les fourmiliers d'Amérique du Sud sont toutefois les seuls édentés qui n'ont effectivement pas de dents.

NEZ EN TROMPETTE
Le Desman des Pyrénées est une taupe qui ressemble à une musaraigne. Il chasse ses proies sous l'eau et inspecte entre les rochers avec son long museau flexible pour y trouver des insectes.

PETITE BÊCHEUSE
La Taupe d'Europe chasse les vers de terre et les insectes sous terre. Elle compte sur son nez très sensible pour détecter ses proies.

DÉFENSE ÉPINEUSE
Le Hérisson d'Algérie, nocturne, est protégé par son manteau d'épines. Il a un petit museau pointu avec des soies sensibles et mange de tout, des insectes aux champignons.

LE MONDE À L'ENVERS
Le Grand Paresseux terrestre d'Amérique du Sud, qui mesurait 6 m de long, a disparu au cours des 10 000 dernières années. Ses cinq descendants vivent dans les arbres et mangent des feuilles. Le plus grand est le Paresseux tridactyle (ci-dessus) qui atteint 67 cm de long.

MAMMIFÈRES VENIMEUX

Deux insectivores utilisent du venin pour capturer des animaux parfois plus gros qu'eux. La Musaraigne à queue courte d'Amérique du Nord et les solénodons de Cuba et Haïti tuent leurs proies grâce à leur salive empoisonnée. Ils mordent leur proie et lui injectent un peu de salive pour la paralyser. Cette salive est très douloureuse sans être mortelle pour l'homme. D'autres mammifères utilisent du venin. L'Ornithorynque mâle a des éperons venimeux sur les chevilles, qu'il utilise probablement lors de combats avec d'autres mâles.

Solénodon

Musaraigne à queue courte d'Amérique

D'ÉTRANGES ASPIRATEURS À FOURMIS

Il existe quatre espèces de fourmiliers en Amérique du Sud. Trois d'entre elles sont petites, vivent dans les arbres et ont une queue préhensile. Mais le Tamanoir, qui atteint 1,86 m de long, vit seulement au sol ; la femelle porte ses petits pendant plusieurs mois sur le dos.

VAMPIRES
Les vampires existent vraiment. Ce sont des chauves-souris qui vivent en Amérique du Nord et du Sud et se nourrissent de sang. Avec leurs dents aiguisées comme des rasoirs, elle entaillent la peau des oiseaux ou des mammifères et lèchent le sang qui s'écoule tandis que leur salive empêche sa coagulation.

TÊTES DE CHAUVES-SOURIS
Certaines chauves-souris ont de longues oreilles et des replis de peau autour du nez pour détecter les échos de leurs proies. D'autres ont des narines tubulaires qui leur permettent de sentir leur repas.

• INSECTIVORES ET CHIROPTÈRES •

La tête en bas

Oreillard

Il y a environ 50 millions d'années, un groupe d'insectivores prit les airs, planant d'arbre en arbre. Ces planeurs évoluèrent en chauves-souris, seuls mammifères qui volent vraiment. Les chauves-souris – qui forment le groupe des Chiroptères – dorment dans des grottes ou des arbres et sont actives surtout de nuit. Les chauves-souris sont présentes dans le monde entier sauf dans les régions polaires et les zones montagneuses froides. Il existe à peu près 160 espèces de roussettes, dont certaines ont une envergure de 1,50 m, et environ 815 espèces de chauves-souris insectivores, qui chassent aussi bien des grenouilles, poissons, oiseaux et petits mammifères que des insectes. Les vampires se nourrissent du sang d'oiseaux et de grands mammifères. Beaucoup de chauves-souris insectivores mangent leurs proies en vol. Celles qui mangent des fruits et des insectes utilisent l'écholocation pour se diriger et trouver leur nourriture. Les sons qu'elles produisent, trop aigus pour que l'oreille humaine les entende, rebondissent contre les objets qui les entourent.

Uroderme

Petite Roussette à dos nu

DÉJEUNER EN PLEIN AIR
La plupart des roussettes mangent les fleurs et boivent le nectar des fruits. Pour manger, certaines se posent sur les arbres, mais beaucoup volent sur place.

VOLER LIBREMENT
La queue des molosses s'étend en arrière de la membrane de peau qui relie les pattes arrière et la queue. Il existe environ 90 espèces de molosses dans le monde. Elles dorment dans les grottes, les trous d'arbres ou sous des morceaux d'écorce.

ÉCHOLOCATION

La plupart des petites chauves-souris se dirigent
grâce à l'écholocation, qui est semblable à un
radar. La chauve-souris émet un son, souvent un cri
très aigu, puis écoute le type et la position des échos
afin de détecter ses proies ou des obstacles. Elle
distingue le type d'insecte ou de proie qu'elle
« entend », mais aussi à quelle vitesse et dans quelle
direction celui-ci se déplace. Le Murin pêcheur
« écoute » les ondes à la surface des rivières et
reconnaît celles qui sont dues au courant
et celles qui révèlent la présence
d'un poisson.

Chauve-souris
Elle produit des
sons aigus en
séries rapides.

Papillon
Les sons
de la
chauve-souris
rebondissent
contre le
papillon et
reviennent
à la chauve-
souris.

DES PIEDS ET DES MAINS

Une des caractéristiques des primates est leur pouce (et parfois leur gros orteil) particulier qui leur permet d'attraper de petits objets.

Pied d'Indri   Main d'Indri

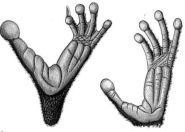

L'Indri, un lémurien, vit la plupart du temps dans les arbres. Ses mains et ses pieds sont conçus pour grimper.

Pied d'Aye-aye   Main d'Aye-aye

L'Aye-aye, un autre lémurien, utilise son second doigt long et fin pour extraire des larves d'insectes des trous d'arbres.

Pied de Gorille   Main de Gorille

Le Gorille a des pieds aplatis pour supporter son corps lourd. Ses mains sont conçues pour attraper des feuilles, des écorces et des fruits.

QUEL NEZ !

Le Nasique, singe d'Asie du Sud-Est, a un grand nez. Il se nourrit des feuilles et des fruits des palétuviers et d'autres arbres.

• PRIMATES •

Les Primates

Les Primates sont divisés en deux groupes. Les primates inférieurs sont les lémuriens – makis, indris, aye-aye – tandis que les primates supérieurs sont les singes et l'homme. La plupart des primates vivent dans les arbres des régions tropicales où leur nourriture pousse toute l'année. De nombreux singes d'Afrique et d'Asie vivent principalement au sol dans des terrains secs. Ils mangent des aliments très variés, des graines aux œufs d'oiseaux et aux oisillons, en passant par les reptiles et les petits mammifères. Les primates inférieurs ont gardé de nombreux caractères communs avec leurs ancêtres insectivores. Les primates supérieurs, en revanche, ont un cerveau développé et sont intelligents. Leur vue et leur vision binoculaire sont bonnes. Ils ont un sens du toucher très développé grâce à des pelotes sensitives sous les doigts et les orteils, et des ongles à la place des griffes. Leur pouce opposable – capable de toucher le bout des autres doigts – leur permet de tenir leur nourriture.

DES YEUX COMME DES SOUCOUPES

Les tarsiers vivent dans les forêts d'Asie du Sud-Est. Ils ont de grandes oreilles et de gros yeux et sautent de branche en branche avec leurs longues pattes arrière pour chasser les insectes, lézards et petits oiseaux. Ils mangent aussi des fruits et des feuilles.

À LA CIME DES ARBRES

Les tamarins-lions d'Amérique centrale sont des singes typiques de cette partie du monde. Ils vivent en groupes familiaux et passent la plupart de leur temps en haut des arbres de la forêt équatoriale, mangeant des fruits, des feuilles et des insectes.

ATTENTION, INTRUS !

Les sociétés de primates sont très complexes. Certains, comme les orangs-outans, vivent seuls. D'autres, tels les babouins, les singes hurleurs et les chimpanzés, vivent en grands groupes familiaux atteignant 40 individus. Les gorilles mâles ont même des harems. Les gibbons sont des singes très évolués du sud et du sud-est de l'Asie, et sont les seuls primates à s'accoupler pour la vie. Ainsi, un couple de gibbons recherche fruits, feuilles, insectes, larves et araignées sur son propre territoire alimentaire. Il « délimite » cette zone chaque matin en hululant et en hurlant, tenant ainsi à l'écart les autres gibbons.

Agitant la queue comme un drapeau, un groupe familial de makis cattas recherche fruits et insectes sur le sol forestier. Comme les autres lémuriens, les makis cattas sont sociaux et très soigneux. Les membres du groupe se toilettent mutuellement avec les dents ; le second doigt de chaque pied possède un ongle qu'ils utilisent pour se nettoyer les oreilles.

SAUVE QUI PEUT !
Effrayés, les propithèques, ou sikafas, peuvent courir sur de courtes distances en levant les mains au-dessus de leur tête. Mais ils se réfugient dans les arbres au plus vite.

• PRIMATES •

Les Lémuriens de Madagascar

Les Lémuriens sont des primates primitifs étonnants. Ils ont des faces de fantômes, et poussent des cris effrayants dans la nuit. Leur nom vient du mot latin « lemures » qui signifie « fantôme ». Les lémuriens vivaient autrefois dans toute l'Afrique, l'Europe et l'Amérique du Nord, mais ont disparu de ces régions, victimes de la compétition avec les singes, plus évolués. Au cours des derniers 50 millions d'années ils n'ont survécu que sur l'île de Madagascar, à l'est de l'Afrique. Il en existe plus de 20 espèces : le plus petit est le Microcèbe qui mesure 29 cm en comptant sa longue queue, le plus grand est l'Indri qui atteint 90 cm malgré sa queue très courte. La plupart vivent dans les forêts humides de l'est de Madagascar, et mangent fruits, feuilles, insectes et petits animaux, tels que les geckos. Tous les lémuriens sont menacés par la destruction de leur habitat forestier.

DES PARENTS PROCHES
Les indris forment une famille de lémuriens. Ils se nourrissent de fruits et de feuilles, et doivent sautiller au sol, parce que leurs pattes arrière sont plus longues que leurs pattes avant.

LE SAVIEZ-VOUS ?

Après une nuit froide dans la forêt malgache, les makis cattas s'étendent dans les arbres au soleil. Lorsqu'un côté du corps est réchauffé, ils se tournent de l'autre côté.

L'AYE-AYE

L'Aye-aye est nocturne, solitaire et farouche. Il est réputé pour sa mauvaise odeur. Bien qu'une espèce semblable ait vécu autrefois en Afrique, il ne vit qu'à Madagascar. L'Aye-aye mange des insectes et capture des larves sous l'écorce des arbres. Il guette leurs petits bruits, puis mordille au travers de l'écorce et les attrape avec son deuxième doigt, long et effilé. Ce doigt particulier sert aussi à extraire a pulpe des fruits.

ACCROCHEZ-VOUS

Les singes araignées, ou atèles, d'Amérique du Sud utilisent leur queue préhensile comme un cinquième membre pour s'accrocher aux branches lorsqu'ils se déplacent. Elle sert également au jeune à s'agripper fermement à sa mère.

ANCIEN ET NOUVEAU MONDES

Singes de l'Ancien Monde
Les singes d'Afrique et d'Asie ont un nez proéminent avec des narines étroites s'ouvrant en avant.

Singes du Nouveau Monde
Les singes d'Amérique centrale et d'Amérique du Sud ont un nez aplati avec des narines qui s'ouvrent de côté.

• PRIMATES •

Les singes

Il y a 40 millions d'années environ, un nouveau type de primates – les singes – commença à supplanter les lémuriens. Aujourd'hui, il existe deux groupes de singes, ceux de l'Ancien Monde, qui vivent en Afrique et en Asie, et ceux du Nouveau Monde qui vivent uniquement en Amérique centrale et en Amérique du Sud. Les quelque 80 espèces de singes de l'Ancien Monde comprennent les macaques, langurs, mandrills, babouins, cercopithèques et colobes. Ils ont de fines narines, dirigées vers l'avant et marchent à quatre pattes. Les singes de l'Ancien Monde n'ont pas de queue préhensile et nombreux passent beaucoup de temps au sol. Ils se nourrissent d'insectes et d'autres animaux, mais aussi de plantes. Il existe environ 65 espèces de singes du Nouveau Monde, dont les ouistitis, les atèles, les singes hurleurs, les capucins et les lagotriches. Ils ont de larges narines s'ouvrant latéralement et vivent surtout dans les arbres. Ces singes sont généralement herbivores. Ils vivent en groupes familiaux et la plupart possèdent une queue préhensile.

AMOUR MATERNEL

Les langurs vivent en groupes familiaux étendus et pacifiques de 15 à 25 individus. Les jeunes sont élevés par leur mère et sont protégés par les autres membres du groupe durant deux ans.

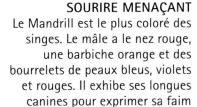

SOURIRE MENAÇANT

Le Mandrill est le plus coloré des singes. Le mâle a le nez rouge, une barbiche orange et des bourrelets de peaux bleus, violets et rouges. Il exhibe ses longues canines pour exprimer sa faim ou son agressivité.

28

CODES DE COULEURS

Les géladas vivent au sein de familles, dominées par un mâle et rassemblées en groupes comptant jusqu'à 400 individus. Ils se déplacent dans de vastes territoires d'alimentation à la recherche d'herbes, de racines, de graines et d'insectes. Bien qu'ils ressemblent aux babouins, ils ne leur sont pas apparentés. Le mâle a une crinière et une tache de peau nue rouge vif sur la poitrine, qui lui sert à attirer les femelles et à en éloigner les autres mâles.

RIGUEURS HIVERNALES

La plupart des singes vivent en climat tropical, mais le Macaque du Japon vit dans les montagnes de Honshu (la principale île du Japon), enneigées plus de six mois par an.

Pour en savoir plus, rendez-vous à la page 24 : *Les Primates*.

Les grands singes

Les grands singes sont les primates les plus évolués. Il en existe quatre espèces : l'Orang-outan, le Gorille et deux espèces de chimpanzés. Comme l'homme, les grands singes ont des ongles plats, un pouce opposable aux autres doigts, et n'ont pas de queue. L'Orang-outan, qui vit à Sumatra et Bornéo, est un animal solitaire. Il vit dans les arbres et mange des fruits, des feuilles et à l'occasion de petits animaux et des œufs. Chimpanzés et gorilles ne se trouvent qu'en Afrique. Ils vivent principalement au sol et marchent à quatre pattes, prenant appui sur les articulations des doigts. Les chimpanzés sont des animaux sociaux, possédant de nombreux cris et expressions faciales. Ils mangent des fruits, des feuilles, des œufs d'oiseaux, des insectes et des mammifères, comme des antilopes et des singes. Bien que le Gorille paraisse immense et féroce, il est en fait végétarien et pacifique. Chaque nuit, les gorilles construisent des nids dans les arbres, à l'abri des prédateurs et loin du sol froid.

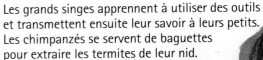

EN APPRENTISSAGE

Les grands singes apprennent à utiliser des outils et transmettent ensuite leur savoir à leurs petits. Les chimpanzés se servent de baguettes pour extraire les termites de leur nid.

SOUS HAUTE PROTECTION

Les gorilles se déplacent en groupes familiaux dans les forêts de montagne de l'est et du centre de l'Afrique. Chaque famille est conduite par un grand mâle à dos gris. Il éloigne les jeunes mâles de ses femelles et de ses petits en se tenant debout, en grondant et en se frappant la poitrine.

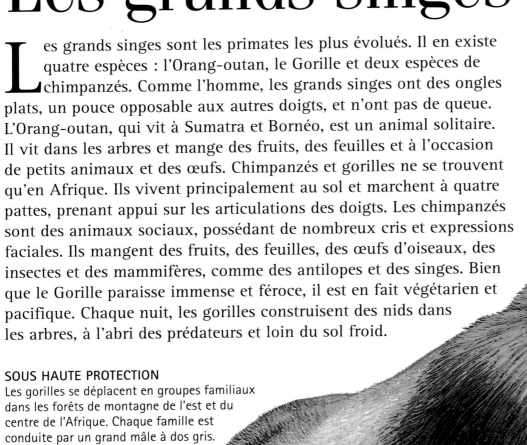

COUP D'ŒIL SUR L'ORANG-OUTAN
L'Orang-outan mâle (ci-dessous) atteint 1,70 m de haut, presque deux fois la taille de la femelle. Il a une large face aplatie et de grosses joues flasques.

D'UN ARBRE À L'AUTRE
Il existe neuf espèces de gibbons herbivores, qui sont très proches des grands singes. Ces habitants des arbres vivent en Asie, en groupes familiaux. Mâles et femelles ont la même taille.

COMMUNIQUER

On a découvert récemment que les chimpanzés ont presque les mêmes capacités d'apprentissage que nous. Ils peuvent apprendre à communiquer avec les humains à l'aide de symboles spéciaux. Ce chimpanzé, par exemple, demande à son ami humain de jouer avec lui en touchant le symbole « poursuite », puis en s'enfuyant. Les chimpanzés comprennent aussi certaines questions orales. Si on demande : « Peux-tu faire mordre le serpent par le chien ? », ce chimpanzé placera un serpent en caoutchouc dans la bouche d'un chien en peluche.

31

Les Carnivores

Les carnivores constituent un grand groupe de mammifères, qui ont des caractères spécifiques à leur régime alimentaire. Les sept familles de carnivores, réparties dans le monde entier, regroupent les canidés (chiens, loups et renards) ; les ours (y compris le Grand Panda) ; les ratons-laveurs ; les belettes, martres, loutres, moufettes et blaireaux ; les civettes ; les hyènes ; et les félins (chats, lions, tigres...). Ces carnivores possèdent deux paires de molaires à bords tranchants, appelées carnassières, et un appareil digestif capable d'assimiler la viande rapidement. Mais beaucoup de carnivores mangent également un peu de végétaux. Les ours, par exemple, consomment plus de plantes que de viande et leurs carnassières sont arrondies, afin de broyer les tiges et graines coriaces. Bien que nombre de carnivores soient sociaux, certains sont solitaires. Ils repoussent les autres membres de leur espèce hors de leur territoire de chasse, sauf pendant la période des amours.

UN GROS DORMEUR
Le Petit Panda vit dans les arbres où il dort pendant toute la journée. Il se nourrit de racines, d'herbes et d'œufs, ainsi que de poissons, d'insectes et de souris.

FAUX FÉLIN
Le Foussa, qui ressemble à un félin, est en réalité apparenté aux civettes. Il a une face aplatie et des yeux dirigés vers l'avant, ce qui lui permet d'apprécier les distances quand il bondit sur sa proie.

MORSURE FATALE
Les lionnes chassent ensemble et épuisent leur proie avant de la tuer d'une morsure à la gorge. Elles ont des mâchoires puissantes et des canines très longues.

LE SAVIEZ-VOUS ?

Les mangoustes d'Afrique et d'Inde mangent des lézards, des insectes et des serpents venimeux ! Elles s'immunisent progressivement contre le venin de serpent et survivent parfois à une morsure de cobra qui tuerait un homme.

CHASSES INFRUCTUEUSES

En dépit de leur réputation de féroces chasseurs, la plupart des grands carnivores voient souvent leurs proies leur échapper. Le Guépard (ci-contre), qui est l'animal terrestre le plus rapide du monde, n'est cependant pas taillé pour l'endurance. S'il n'a pas capturé sa proie en 450 m de course, il doit abandonner la poursuite faute d'énergie. Les lions réussissent une capture sur dix, et même les grandes meutes de loups ne parviennent à capturer leur proie qu'une fois sur cinq.

Ocelot

Chien

Grizzly

Raton laveur

Belette

Civette

Hyène

À TABLE !
La Loutre de mer atteint 1,20 m de long et pêche des poissons, des oursins et des coquillages. Elle flotte sur le dos pour dévorer ses captures, puis pour dormir.

Pour en savoir plus, rendez-vous à la page 14 : *En groupe.*

ATTAQUE ET DÉFENSE

Arrière !
Le Margay montre qu'il est prêt à se défendre en fixant avec ses grands yeux.

Prêt à attaquer
Le Margay donne une dernière chance de retraite à l'ennemi. Il abaisse ses oreilles, ouvre largement la gueule et montre ses dents pointues.

INVISIBLE CHASSEUR
Le Tigre suit sa proie en silence. Soudain, il bondit, saisit sa proie avec ses griffes et la mord au cou. Quand il s'agit d'un grand animal, le Tigre le mord à la gorge pour l'étouffer.

LE SAVIEZ-VOUS ?
La panthère, qui peut tuer des animaux aussi gros qu'un bébé girafe, a des muscles du cou et du dos très puissants qui lui permettent de hisser sa proie dans les arbres, à l'abri des lions et des charognards.

• CARNIVORES •

Les félins

Il existe 36 espèces de félins – la famille des chats. Le plus petit est le Chat à pieds noirs d'Amérique du Sud, qui mesure la moitié d'un chat domestique, alors que le plus grand est le Tigre de Sibérie qui atteint 3,70 m de long, mais tous ont de nombreux caractères communs. Tous sont des chasseurs, la plupart ne mangent que de la viande, sont farouches et solitaires, et souvent nocturnes. Les félins chassent de la même façon – ils approchent leur proie en silence, l'attaquent rapidement, la jettent au sol et la tuent d'une morsure au cou. La plupart des félins maintiennent leurs proies grâce à leurs griffes acérées et tous, sauf le Guépard, rétractent leurs griffes pour ne pas les user. Les félins ont des muscles minuscules dans la langue, ce qui leur permet d'en changer la surface. Ils se lèchent avec la langue lisse et écorchent la peau de leurs proies avec la langue râpeuse. Seize espèces de félins sont menacées, et surtout par l'homme.

BONNE PÊCHE

Le Chat pêcheur, ou Chat viverrin, mesure 1,30 m de long et vit en Inde et en Asie du Sud-Est. Il pêche des poissons dans les rivières avec ses pattes palmées. Il mange aussi des crabes et des oiseaux, et parfois même des veaux, des chiens ou des moutons.

BANDE DES PLAINES

La plupart des félins vivent seuls. Mais les lions sont sociaux et vivent en groupes familiaux appelés bandes, qui comprennent jusqu'à 30 individus. La plupart sont des femelles (trois générations de lionnes coexistent parfois) avec leurs petits. Le groupe compte souvent deux mâles dominants, habituellement frères. Les jeunes mâles mènent une vie solitaire jusqu'à ce qu'ils soient assez âgés et puissants. Alors, ils défient les mâles dominants pour prendre le contrôle de la bande.

Les Canidés

Les Canidés (famille des chiens, renards, loups) sont parmi les premiers mammifères, et leur mode de vie, de même que certains caractères de leur anatomie, ressemblent encore à ceux de leurs ancêtres d'il y a 40 millions d'années. Ces animaux s'adaptent facilement à de nouveaux habitats et de nouvelles ressources alimentaires. Sur les 35 espèces de canidés sauvages, présents presque partout dans le monde, 27 sont de petits renards solitaires, tandis que les huit autres sont des canidés sociaux qui chassent en meutes. Quel que soit leur mode de vie, les canidés ont des caractères communs : une vue, une ouïe et un odorat très fins, de puissantes canines acérées et des molaires tranchantes (les carnassières) utilisées pour couper la viande. Les canidés sont surtout carnivores, mais mangent aussi insectes, fruits, escargots et autres petites proies. Certaines espèces chassent dans les prairies et le Renard gris d'Amérique du Nord, ou Urocyon, grimpe même aux arbres pour trouver à manger.

PAS DIFFICILES
Les Dingos sont des chiens sauvages d'Australie. Ils vivent dans la campagne et mangent tout ce qu'ils trouvent, des criquets aux kangourous, et même de grands varans.

RENARD DU DÉSERT
De la taille d'un chat, le Fennec du Sahara est adapté à la vie du désert. Ses grandes oreilles lui permettent de se refroidir en évacuant la chaleur de son corps. Elle lui servent aussi à repérer ses proies dans la nuit.

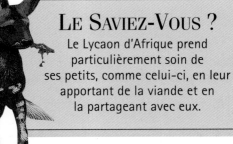

LE SAVIEZ-VOUS ?
Le Lycaon d'Afrique prend particulièrement soin de ses petits, comme celui-ci, en leur apportant de la viande et en la partageant avec eux.

EN CHŒUR

Les loups sont des chasseurs efficaces et intelligents qui coopèrent pour attraper leur proie. Ils communiquent par le langage du corps, les expressions faciales et des hurlements. Les hurlements collectifs d'une meute de loups

RENARD RUSÉ

Les renards ont la réputation d'être intelligents et rusés, parce qu'ils s'adaptent facilement à de nouveaux habitats. Ces animaux alertes et farouches sont très difficiles à approcher ou à attraper. Ils chassent de nuit et se reposent la journée dans un fourré ou un terrier, ou même dans un tuyau d'égout. Les renards ont appris à survivre aussi bien en ville qu'à la campagne. Ils mangent des petits rongeurs, des fruits et divers restes.

FACES DE COYOTE

Les coyotes utilisent leurs oreilles et leur gueule pour exprimer leur humeur et montrent les dents pour exprimer peur ou agressivité.

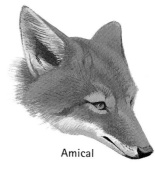

Amical

Soumis

Joueur

Prêt à attaquer

Prêt à se défendre

Tous les canidés chassent-ils au sol ?

OURS MALAIS
L'Ours malais de Birmanie, Sumatra et Bornéo, est le plus petit ours du monde. Il atteint à peine 1 m de long. Il adore le miel qu'il extrait avec sa grande langue des nids d'abeilles.

DROIT DANS LA BOUCHE
En Amérique du Nord, les ours bruns se postent en haut des chutes d'eau et attendent les saumons qui remontent les rivières pour pondre. Les ours expérimentés les capturent d'un coup de dents.

Les ours

Les ours sont apparus en Europe il y a 40 millions d'années environ. Ils se sont répandus en Afrique – d'où ils ont disparu depuis – en Asie, en Amérique du Nord et en Amérique du Sud. Aujourd'hui, il n'en existe plus que huit espèces, qui comptent les plus grands des carnivores : l'Ours polaire peut atteindre 3,50 m de long et peser jusqu'à 725 kg, et le Grizzly d'Amérique du Nord est légèrement plus lourd. Les ours mangent de tout, des racines aux petits et gros animaux. L'Ours polaire se nourrit surtout de phoques et de poissons, et parfois de rennes. Les ours des régions froides n'hibernent pas vraiment. Quand la nourriture devient rare, ils somnolent dans une tanière à flanc de coteau ou dans un tas de neige. La femelle met bas dans sa tanière, où les oursons restent au chaud jusqu'au printemps. Les espèces tropicales comme l'Ours à lunettes d'Amérique du Sud et les Ours malais et lippu d'Asie, sont beaucoup plus petits que leurs cousins nordiques.

L'ANNÉE DE L'OURS POLAIRE

Hiver
La femelle creuse une tanière dans un tas de neige et met au monde ses petits. Le mâle parcourt la banquise et chasse les phoques.

Printemps
Les oursons sortent de la tanière et apprennent à chasser. Leur mère les protège des mâles prédateurs qui les tueraient pour les manger.

Automne
Les ours se nourrissent de phoques et font des réserves de graisse pour l'hiver. Les femelles gestantes se déplacent vers des zones enneigées pour creuser leur tanière.

Été
C'est la saison des accouplements. Les ours polaires nagent bien et traversent souvent de grands bras de mer pour atteindre de nouveaux terrains de chasse.

LE SAVIEZ-VOUS ?

L'Ours lippu, qui vit en Inde et au Sri Lanka, est le plus grand mammifère se nourrissant presque uniquement de termites. Avec ses grosses lèvres, il forme un tube et les aspire hors de leur nid.

GRANDS PANDAS

Le Grand Panda était inconnu hors de Chine jusqu'au XIXe siècle, et demeure un animal mystérieux. Bien qu'il mange parfois des oiseaux et des petits mammifères, il se nourrit presque exclusivement de bambous, durant parfois 12 heures par jour. Comme il ne digère pas très bien le bambou, le Grand Panda doit en absorber jusqu'à 20 kg par jour pour survivre. Le panda possède une sorte de pouce (formé par une partie de son os du poignet) sur les pattes avant, qui lui permet de tenir les tiges de bambous.

VIVRE DANS L'ARCTIQUE

L'Ours polaire est parfaitement adapté à la vie dans l'Arctique. Il a juste assez de sang dans les pattes pour que ses doigts ne gèlent pas et sa fourrure est formée de poils creux et pâles (et non blancs) qui gardent la chaleur.

Pour en savoir plus, rendez-vous à la page 32 : *Les Carnivores*.

39

PATTE D'ÉLÉPHANT
Un éléphant a cinq
doigts aux pattes avant,
mais ils sont enveloppés
par une sorte de
sabot coriace,
recouvert de peau.

SUR LES DOIGTS
Tous les mammifères
ongulés marchent et
courent sur les doigts.
Les ongulés à doigts
impairs ont le doigt
central plus gros que
les autres. Les ongulés
à doigts pairs
marchent sur leurs
deux doigts centraux.

UN ÉTONNANT COUSIN
En dépit de leur taille et de leur aspect,
les damans sont les animaux actuels les
plus proches parents des éléphants.
Comme eux, ils marchent sur cinq doigts.

Zèbre
Comme les chevaux, les zèbres courent sur le
doigt central de chacune de leurs pattes. Leurs
autres doigts sont formés d'un simple bout d'os.

Dromadaire
Chameaux et
dromadaires
marchent sur
les troisième et
quatrième
doigts de leurs
pattes. Leurs
autres doigts
ont disparu.

• HERBIVORES •

Les Ongulés

Il y a 100 millions d'années environ, lorsque les mammifères
herbivores ont commencé à occuper les prairies, le seul moyen pour
eux d'échapper aux prédateurs était la course. Pour faciliter leur
course, leurs griffes se sont changées progressivement en sabots coriaces
et les doigts inutiles ont disparu ou presque. Aujourd'hui, il existe
environ 210 espèces d'Ongulés, divisés en trois groupes. Les ongulés
primitifs – éléphants, oryctéropes, damans, lamantins et dugongs (les
deux derniers ayant évolué pour vivre exclusivement dans l'eau) – ont
conservé la plupart de leurs doigts. Les Périssodactyles, ou ongulés à
doigts impairs, ont trois doigts (tapirs et rhinocéros) ou un seul (chevaux,
zèbres, ânes...) par patte. Les Artiodactyles, ou ongulés à doigts pairs, ont
deux doigts (cochons, hippopotames, chameaux et dromadaires) ou
quatre doigts (cerfs, vaches, moutons, chèvres, antilopes et girafes).

LE SAVIEZ-VOUS ?
Chameaux et dromadaires ne marchent pas
du tout sur leurs sabots, mais sur leur
pelote plantaire qui leur procure une bonne
adhérence au sol. Leurs larges doigts leur
évitent de s'enfoncer dans le sable.

EN DÉFENSE
Les rhinocéros blancs vivent en groupes de plusieurs individus et parfois en petits troupeaux. Menacés par un prédateur, ils forment un cercle pour protéger leurs petits.

BROUTER
Le Rhinocéros noir arrache les feuilles des arbres avec sa lèvre supérieure pointue. Les piquebœufs se posent souvent sur les rhinocéros et les débarrassent des parasites qui se fixent sur leur peau.

• HERBIVORES •

Les rhinocéros

Aujourd'hui, il ne reste que cinq espèces de rhinocéros dans le monde – deux en Afrique et trois en Asie. Les rhinocéros, qui sont cousins des chevaux et des tapirs, sont apparus il y a 40 millions d'années environ. On connaît plus de 50 espèces disparues et la plus grosse, *Elasmotherium*, atteignait 5 m de long et portait une corne de 2 m sur le front. Les rhinocéros sont des animaux massifs, pesant jusqu'à 5 tonnes. Ils ont des pattes courtes et épaisses, et sont herbivores. Le Rhinocéros blanc et le Rhinocéros indien mangent surtout de l'herbe, tandis que les autres espèces broutent aussi des feuilles. Ils se nourrissent principalement la nuit et restent parfois jusqu'à 4 ou 5 jours sans boire, en particulier s'ils peuvent se rouler dans la boue pour se rafraîchir et se protéger des parasites. Toutes les espèces de rhinocéros sont menacées. On les tue pour leurs cornes, très prisées en Asie et au Moyen-Orient.

Les plaines africaines

BONDISSANT
Les kobs sont des antilopes de taille moyenne.
Ils mangent de l'herbe tendre et des plantes
aquatiques, et migrent d'un marais à l'autre en
fonction des changements de niveau d'eau.

Des millions d'animaux herbivores, comme les gazelles, zèbres, autruches, gnous, éléphants et girafes, vivent dans les vastes plaines du Serengeti dans l'est de l'Afrique. Ils coexistent facilement parce qu'ils ne recherchent pas la même nourriture. Les éléphants, les grandes antilopes et les girafes mangent des feuilles. Les gnous broutent les hautes herbes, les zèbres l'herbe plus courte, et les gazelles l'herbe plus rase encore. Chaque année, à la fin de la saison des pluies, des troupeaux de gnous, de zèbres et de gazelles entament leur migration annuelle, parcourant jusqu'à 3 000 km en une immense file, à la recherche d'eau et d'herbages. Les herbivores sont suivis par des prédateurs et des charognards. Lions, panthères et guépards, lycaons et hyènes côtoient le troupeau, capturant les jeunes et les animaux faibles ou blessés. Les vautours et les chacals nettoient les carcasses abandonnées par les prédateurs. Crocodiles et poissons-chats attendent près des gués, où des milliers de gnous se noient ou sont piétinés lorsque les troupeaux convergent pour traverser la rivière.

MIEUX PROTÉGÉS

Des gazelles, comme les impalas, migrent souvent avec les zèbres. Ils se préviennent mutuellement du danger. Les lions chassent de grosses proies, comme les zèbres. Les panthères et les lycaons préfèrent les gazelles. Bien que rapides, les gazelles se fatiguent vite et deviennent des proies faciles.

44

APPAREIL DIGESTIF

Certains mammifères ongulés, comme les chameaux, dromadaires, moutons et cerfs, ont un estomac complexe (en vert sur le dessin du haut). Beaucoup régurgitent la nourriture en partie digérée de la panse jusque dans la bouche, où ils la broient plus efficacement encore grâce à leurs dents spécialisées. On appelle cela « ruminer ». Cette nourriture est alors à nouveau avalée et passe directement dans le feuillet, où les éléments nutritifs sont absorbés. Les ruminants digèrent longuement et peuvent ainsi extraire le maximum d'éléments nutritifs. Chevaux, rhinocéros et éléphants ont un estomac simple où ils digèrent leur nourriture. Ils la traitent ensuite dans un très grand cæcum. Ils mangent de grosses quantités de nourriture, souvent de médiocre qualité, pour obtenir suffisamment d'éléments nutritifs.

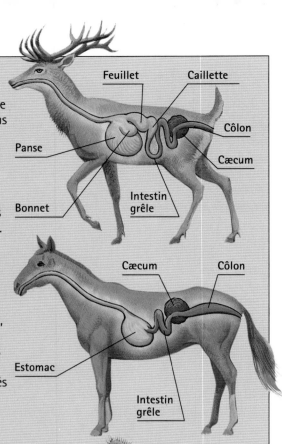

Feuillet
Caillette
Côlon
Cæcum
Panse
Intestin grêle
Bonnet

Cæcum
Côlon
Estomac
Intestin grêle

PARESSEUX HIPPOPOTAMES
Les hippopotames sont des artiodactyles, ayant quatre gros doigts par patte. Ces doigts, longs et larges, leur permettent de marcher aussi bien au fond des lacs et des marais que sur la terre ferme.

Rhinocéros blanc
Le Rhinocéros blanc a trois doigts aux pattes avant. Les premier et cinquième doigts ont disparu.

Renne
Le Renne a quatre doigts, qui peuvent s'étaler pour servir de « raquettes » sur la neige.

41

Les éléphants

Les premiers éléphants étaient des animaux de la taille d'un cochon, sans défenses, ni trompe, qui vivaient dans le nord de l'Afrique, il y a 50 millions d'années environ. Aujourd'hui, il n'existe que deux espèces : l'Éléphant d'Asie et l'Éléphant d'Afrique – le plus grand mammifère terrestre actuel. Les deux espèces vivent en groupes familiaux, qui se rassemblent parfois en troupeaux de centaines d'individus. Les éléphants passent parfois 21 heures par jour à manger – jusqu'à 320 kg de feuilles, d'écorces, de fruits et d'herbes – ou se déplacent pour trouver à manger et à boire. Un éléphant adulte doit boire 70 à 90 litres d'eau par jour. Les éléphants voyagent en forêt en suivant des sentiers traditionnels appelés routes des éléphants. Ces animaux intelligents ont une bonne mémoire et peuvent vivre plus de 60 ans. Les deux espèces d'éléphants sont menacées parce que l'homme détruit son habitat pour le mettre en culture et que les braconniers le tuent pour l'ivoire de ses défenses.

LE SAVIEZ-VOUS ?

La trompe d'un éléphant est puissante, sensible et flexible. Elle peut soulever un arbre entier ou saisir une brindille. Elle ne contient aucun os, mais environ 150 000 faisceaux de muscles.

CHALEUR ET POUSSIÈRE

Les éléphants se rafraîchissent en passant plusieurs heures par jour dans l'eau ou en l'aspirant avec leur trompe pour s'asperger. Ils se recouvrent aussi de boue et de poussière pour protéger leur peau des coups de soleil et éloigner les insectes.

BÊTE DE SOMME

L'Éléphant d'Asie est calme et puissant. Pendant des milliers d'années, l'homme l'a utilisé pour transporter du bois, du bétail, de la nourriture, voire des soldats lors de batailles.

JEU DES 6 ERREURS

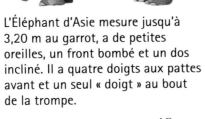

L'Éléphant d'Afrique atteint 4 m au garrot, a de grandes oreilles, un front en pente et des hanches à la même hauteur que les épaules. Il a trois doigts aux pattes avant et deux « doigts » au bout de la trompe.

L'Éléphant d'Asie mesure jusqu'à 3,20 m au garrot, a de petites oreilles, un front bombé et un dos incliné. Il a quatre doigts aux pattes avant et un seul « doigt » au bout de la trompe.

LA GRANDE MIGRATION
Des centaines de troupeaux de gnous, comptant chacun jusqu'à 10 000 individus, traversent le Serengeti chaque année. De nombreux zèbres, recherchant une protection contre les prédateurs, accompagnent les gnous durant leur migration.

COCHON SAUVAGE
Le Phacochère a une tête énorme et deux longues défenses. Il vit en groupes familiaux dans les plaines, où il est la proie des lions et des panthères.

NOMADES
Bien qu'elles ne migrent pas de façon régulière, les girafes vagabondent dans le Serengeti à la recherche d'eau et d'herbe fraîche.

TROMPER L'ENNEMI

Les rayures des zèbres, bien que très voyantes, empêchent les prédateurs de bien distinguer un individu au sein d'un troupeau. Elles empêchent également le prédateur de bien voir la silhouette d'un zèbre isolé. Alors qu'un animal sombre, par exemple, semble avoir un contour bien délimité, les zébrures font paraître l'animal « flou ».

L'ATTENTE DES LIONS
La migration procure beaucoup de nourriture aux prédateurs, comme les lions. La plupart des lionceaux naissent pendant la saison sèche, qui commence en mai. Cela signifie qu'il y a beaucoup de nourriture pour eux en novembre et décembre, lorsque les gnous migrent.

LES PIEDS DANS L'EAU
Le Kob défassa, qui mesure 1,50 m au garrot, ne s'éloigne jamais du marais où il vit toute l'année.

Rhinocéros de Java
Hauteur : 1,80 m.
Cornes : le mâle a une seule corne qui atteint 28 cm.
Peau : fortement plissée.

Rhinocéros indien
Hauteur : 1,82 m.
Cornes : une seule atteignant 60 cm de long.
Peau : plissée, contient des nodules osseux.

Rhinocéros de Sumatra
Hauteur : 1,32 m.
Cornes : deux, courtes.
Peau : plissée, couverte de poils rouges ou noirs.

Rhinocéros blanc
Hauteur : 1,98 m.
Cornes : deux, la frontale atteint 1,57 m de long.
Peau : lisse.

Rhinocéros noir
Hauteur : 1,52 m.
Cornes : deux, la frontale atteint 1,35 m de long.
Peau : lisse.

UN RHINOCÉROS RARE

Le Rhinocéros de Sumatra, qui vit aussi à Bornéo et en Malaisie, est le plus primitif des rhinocéros actuels. Il possède de nombreux caractères communs avec les ancêtres asiatiques de la famille, comme son corps couvert de poils. En outre, il mange aussi bien des écorces et des lichens que des feuilles et des fruits. Cette espèce est probablement la plus rare du monde – une centaine d'individus seulement survivent à l'état sauvage.

BLANC SALE

Le Rhinocéros blanc possède une grosse lèvre supérieure qui lui permet de brouter l'herbe rase. En dépit de son nom, sa couleur est grise, tout comme celle du Rhinocéros noir ! Le Rhinocéros blanc est beaucoup plus gros que ce dernier : il est plus grand et presque deux fois plus lourd.

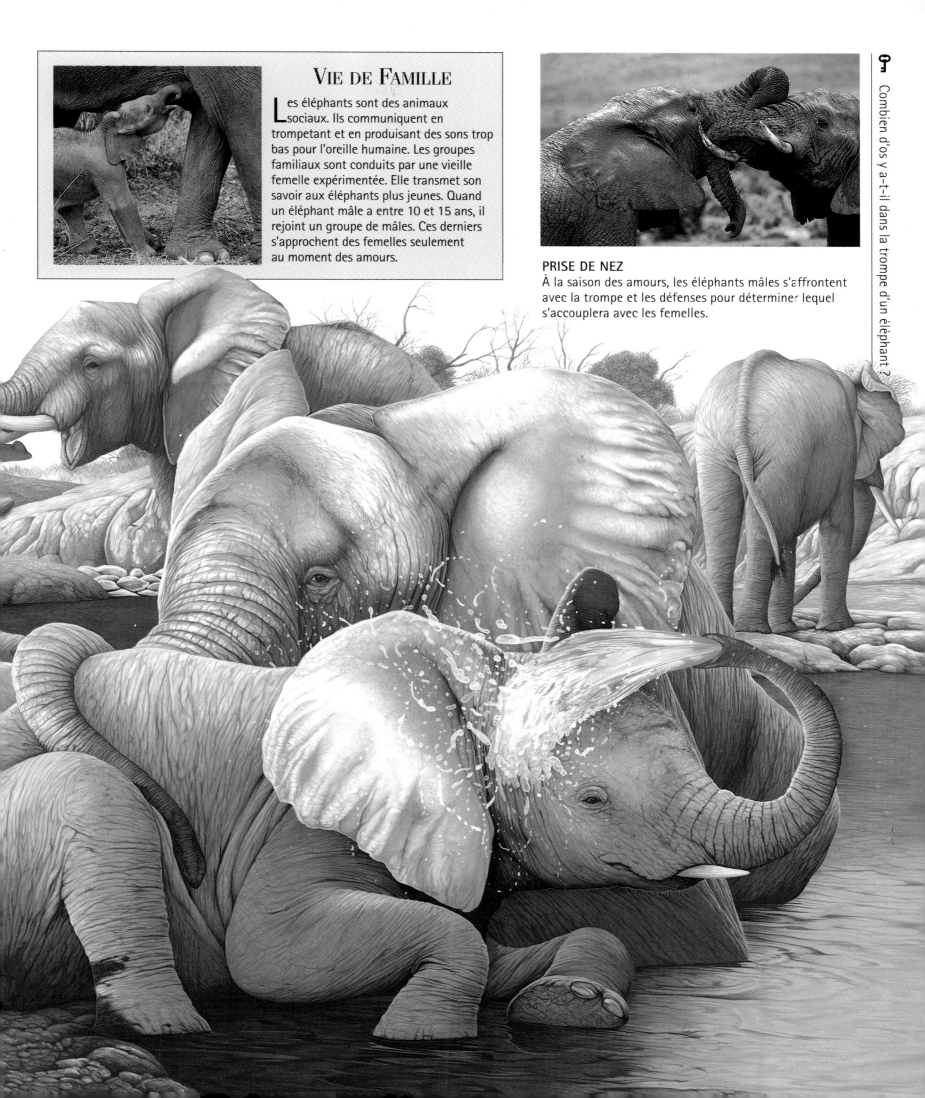

VIE DE FAMILLE

Les éléphants sont des animaux sociaux. Ils communiquent en trompetant et en produisant des sons trop bas pour l'oreille humaine. Les groupes familiaux sont conduits par une vieille femelle expérimentée. Elle transmet son savoir aux éléphants plus jeunes. Quand un éléphant mâle a entre 10 et 15 ans, il rejoint un groupe de mâles. Ces derniers s'approchent des femelles seulement au moment des amours.

PRISE DE NEZ

À la saison des amours, les éléphants mâles s'affrontent avec la trompe et les défenses pour déterminer lequel s'accouplera avec les femelles.

Cervidés et Bovidés

Les Cervidés (daims, cerfs, chevreuil...) et les Bovidés (antilopes, gazelles, chamois, bouquetins, mouflons...) vivent dans la plupart des régions du monde, de la toundra arctique aux forêts humides d'Asie du Sud-Est. Leur taille varie de celle d'un chat pour le Poudou d'Amérique du Sud à celle de l'Élan nord-américain qui peut atteindre 2 m au garrot. Tous les cervidés et les bovidés sont herbivores et la plupart mangent de l'herbe, des feuilles et des fruits, bien que les rennes mangent des lichens et des mousses. Il existe 38 espèces de cervidés et 128 de bovidés. Ces derniers sont apparus il y a 23 millions d'années environ et possèdent un appareil digestif très efficace. Beaucoup d'espèces ont été domestiquées. Vaches, moutons et chèvres ont des cornes qui poussent tout au long de leur vie. Bien que l'Hydropote d'Asie ait des défenses, la plupart des cervidés mâles ont des bois qui tombent chaque hiver et repoussent au printemps suivant. Ils peuvent être réduits à une simple pointe ou formés de nombreuses ramifications.

BOIS DE CERFS

Début du printemps
Couverts de peau veloutée, appelée velours, les bois sortent du pelage sur la tête du cerf.

Fin d'été
Nourris par des vaisseaux sanguins situés sous le velours, les bois atteignent leur taille définitive. De nouvelles ramifications, ou cors, s'ajoutent chaque année.

Automne
Le velours s'arrache contre les troncs et les rochers. Le cerf utilise ses bois flambant neufs pour indiquer aux autres mâles qu'il est prêt à se battre pour le contrôle de la harde.

Hiver
Après la saison de reproduction, les bois se fragilisent à la base et se cassent aisément contre les arbres.

UN CERCLE FERMÉ
Les Bœufs musqués, qui vivent dans l'Arctique, sont en fait apparentés aux chèvres. Quand des prédateurs, comme des loups, les menacent, les adultes forment un cercle protecteur autour des petits.

FUIR LE DANGER
Le Nilgaut est une antilope de taille moyenne avec de petites cornes. Il compte sur sa rapidité pour échapper aux prédateurs – panthères et tigres.

LE PLUS PETIT
Le Poudou du Sud chilien (ci-dessous) est le plus petit cervidé du monde. Il mesure 70 cm de long, pour une hauteur de 30 cm au garrot et un poids de 6 à 7 kg.

ENCHEVÊTRÉS

Les bois de tous les cervidés ont une forme qui évite qu'ils s'enchevêtrent accidentellement. Les rennes mâles s'accrochent par les bois, puis poussent pour voir quel est le plus fort. Le vainqueur s'accouplera avec les femelles de la harde, tandis que le vaincu attendra une autre occasion pour prouver sa force.

CAS ÉTRANGE

On classe traditionnellement l'antilope américaine, ou pronghorn, d'Amérique du Nord, dans une famille à part en raison de ses nombreuses particularités. Comme les bovidés, elle a des cornes. Mais comme les cervidés, elle perd la partie externe de ses cornes chaque année. Aujourd'hui de nombreux scientifiques classent l'antilope américaine dans la famille des vaches, des chèvres et des moutons.

HABITANTS DU DÉSERT
Les gerbilles vivent dans les déserts d'Afrique et d'Asie. Elles sont de la famille des souris, qui est la plus grande famille de mammifères. Très bien adaptés à la vie du désert, ces petits mangeurs de graines nocturnes tirent toute l'eau nécessaire de leur nourriture et n'ont pas besoin de boire.

CASTORS À L'OUVRAGE
Il existe deux espèces de castors – l'une en Amérique du Nord, l'autre en Europe. Toutes deux mangent de l'écorce et des feuilles et vivent dans l'eau. Les castors américains protègent leur gros nid, appelé hutte, en construisant des barrages qui créent des retenues d'eau. Les prédateurs ne peuvent pas y accéder.

Les Rongeurs

Plus du tiers des mammifères actuels sont des rongeurs. De la Gerboise naine du Balouchistan qui tiendrait dans une boîte d'allumettes, au Cabiai qui atteint 1,25 m de long et pèse jusqu'à 50 kg, les rongeurs vivent dans presque tous les types d'habitats, de l'Arctique aux déserts. Certaines espèces passent la plupart de leur vie dans les arbres, tandis que d'autres vivent sous terre. Plusieurs rongeurs, dont les castors, sont essentiellement aquatiques. Les rongeurs ont de nombreux prédateurs. Peu d'espèces, excepté les porcs-épics, peuvent se défendre, et la plupart produisent un grand nombre de jeunes pour assurer la survie de l'espèce. Les incisives des rongeurs poussent constamment, prêtes à grignoter des coquilles de noisettes, des écorces ou d'autres matières végétales. Certains rongeurs mangent des insectes et d'autres petits animaux, ainsi que des plantes. D'autres ont un régime particulier – les rats des bambous, par exemple, se nourrissent presque exclusivement de bambous.

AMUSE-GUEULE

Le Rat des moissons mange des graines et construit son nid dans les hautes herbes ou les champs de céréales. Dans la Rome antique et en Chine, les rats des moissons étaient cuits et mangés en casse-croûte !

DES CITÉS DANS LA PLAINE

Les chiens de prairie à queue noire, ou Cynomys, sont des rongeurs vivant dans les plaines sans arbres de l'Ouest américain. Ils se protègent des prédateurs en se réfugiant dans des « villes » souterraines. Ces immenses complexes de terriers peuvent couvrir 30 hectares et abriter plus de 1 000 individus. Chaque terrier est occupé par une famille – un mâle, trois femelles et environ six jeunes. Un des adultes monte la garde à l'entrée du terrier pour avertir les autres de l'arrivée d'un prédateur – coyote ou rapace.

QUELQUES RONGEURS

Il existe de nombreuses espèces de rongeurs, toutes assez semblables. Mais leurs mœurs et leurs comportements varient beaucoup.

Cabiai

Lemming

Rat noir

Porc-épic

ROI DE L'ESQUIVE
Les longues pattes arrière du lièvre lui procurent la rapidité pour échapper aux prédateurs et la possibilité de changer de direction subitement pour esquiver les attaques d'un rapace, qui, lui, ne peut pas tourner aussi brusquement.

• RONGEURS ET LAGOMORPHES •

Lapins et lièvres

Les lapins, les lièvres et les pikas forment l'ordre des Lagomorphes. Les quelque 65 espèces de lagomorphes vivent dans la plupart des habitats d'Europe, d'Afrique, d'Asie et d'Amérique, mais certaines ont été introduites ailleurs par l'homme. Ils sont semblables aux rongeurs, mais suffisamment différents pour être placés dans un ordre distinct par les scientifiques. Contrairement aux rongeurs, les lagomorphes ont des poils sous la plante des pattes, mais pas de glandes sudoripares. Toutefois, comme chez les rongeurs, les yeux des lagomorphes sont situés sur les côtés de la tête, ce qui leur permet de voir arriver les prédateurs d'en haut et de derrière, et les incisives poussent sans cesse. Les pikas vivent dans les déserts et les montagnes d'Asie et d'Amérique du Nord. Ils ont de petites oreilles et ressemblent un peu à des lemmings. Lapins et lièvres, en revanche, ont de longues oreilles, de grandes pattes avant et de très longues pattes arrière, qui leur permettent de courir et bondir. Tous les lagomorphes mangent des plantes et la plupart sortent de leur nid au coucher du soleil pour se nourrir.

GRANDES OREILLES
Le Lièvre de Californie vit dans les déserts d'Amérique du Nord. Ses grandes oreilles contiennent des centaines de minuscules vaisseaux sanguins qui évacuent la chaleur et permettent à l'animal de rester frais durant la journée. Avec de telles oreilles, il n'a pas de difficulté à entendre approcher les prédateurs.

54

PIKAS

Les pikas sont des cousins à pattes courtes des lièvres et lapins. Ils ramassent de grandes quantités de végétaux verts en été et les font sécher au soleil pour en faire du foin, qu'ils stockent dans leur terrier en prévision de l'hiver.

EN FORME

Les lièvres variables nichent au printemps. Mâles et femelles se poursuivent et font des combats de boxe. Cela permet à chaque lièvre de tester la condition physique et la force de son partenaire potentiel.

FAMILLE NOMBREUSE

Les lagomorphes ont beaucoup de prédateurs. Comme les rongeurs, ils mettent au monde de nombreux jeunes pour garantir la survie de l'espèce. Le Lapin de garenne a été introduit en Australie en 1788, mais il ne s'est étendu qu'à partir de 1859, après le lâcher de 24 individus sauvages dans la campagne. En 10 ans, il y eut au moins 10 millions de lapins, qui constituent depuis un fléau pour l'Australie.

TERRIER FAMILIAL

Les lapins de garenne sont originaires d'Afrique du Nord. Ils vivent dans des terriers, appelés garennes, qui les protègent des intempéries et des prédateurs. Jusqu'à six fois par an, la femelle met au monde plusieurs petits bien au chaud dans une chambre garnie d'herbe sèche.

GRAND DAUPHIN
Ce dauphin est un nageur rapide. Il possède jusqu'à 160 petites dents pointues et se nourrit de petits poissons et de calmars.

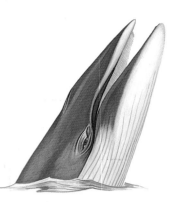

RORQUAL À MUSEAU POINTU
Le Rorqual à museau pointu a de 230 à 360 fanons de 20 cm de long à la mâchoire supérieure. Il se nourrit de harengs, de morues, de calmars et de krill.

BALEINE FRANCHE
La Baleine franche a été décimée par la chasse acharnée dont elle a été victime. Elle possède 500 fanons à la mandibule supérieure et se nourrit de krill.

CACHALOT
Le Cachalot est la plus grande baleine à dents. Il possède 50 dents, seulement à la mâchoire inférieure. Il mange des calmars et des poulpes.

• MAMMIFÈRES MARINS •

Baleines et dauphins

Les baleines et dauphins actuels, qui comprennent le plus grand mammifère ayant jamais vécu – le Rorqual bleu –, ont évolué à partir des ongulés, il y a 65 millions d'années environ. Baleines, dauphins et marsouins sont aujourd'hui parfaitement adaptés à la vie marine. Ils ont un corps effilé et une queue aplatie qui les propulsent dans l'eau. Comme les autres mammifères, ils allaitent leurs petits. Les baleines viennent à la surface pour respirer à l'aide d'une narine – appelée évent – située sur le dessus de la tête. Il existe 63 espèces de baleines à dents, ou Odontocètes, qui vont des dauphins et marsouins de 1,60 m de long au Cachalot qui atteint 18 m de long. Les odontocètes se nourrissent de calmars, poissons et poulpes et, comme les chauves-souris, utilisent l'écholocation pour se diriger et trouver leurs proies. Certains migrent sur de longues distances. Les baleines à fanons, ou Mysticètes, n'ont pas de dents, mais de longues lames cornées, appelées fanons, avec lesquelles elles filtrent leur nourriture (principalement de petits poissons et des crevettes formant le krill). Les 11 espèces de mysticètes parcourent les eaux du globe et font des migrations saisonnières.

NAGEURS RAPIDES
Il existe 31 espèces de dauphins. Leur corps en forme de poisson, leur peau lisse et leur queue aplatie leur permettent de nager très vite sans grande dépense énergétique. Certains dauphins ont été enregistrés nageant à 40 km/h pendant plusieurs heures.

ORQUE

L'Orque, ou Épaulard, est le plus grand et le plus intelligent des dauphins. Comme les loups et les lions, il chasse en groupe. Parfois un orque effraie les phoques en surgissant de l'eau juste au bord de la plage. Les phoques essaient de fuir dans l'eau, où d'autres orques les attendent pour les capturer.

HISTOIRES DE BALEINES

Le Rorqual bleu atteint 29,4 m de long et peut peser 100 tonnes. Sa bouche mesure 6 m de long et son cœur, qui a la taille d'une petite voiture, pompe les 9,7 tonnes de sang contenues dans son corps immense.

De tous les animaux, le Cachalot est celui qui a le cerveau le plus gros. Il est environ six fois plus lourd qu'un cerveau humain moyen. Le Cachalot peut plonger jusqu'à 1500 m de profondeur au fond des océans.

Le Narval, qui vit dans les eaux arctiques, mesure 4,50 m de long. Le mâle possède une corne (plus rarement deux) de 2,50 m de long au bout du museau.

Le « chant » long et complexe du Mégaptère, ou Baleine à bosses, peut durer plus d'une heure et être entendu jusqu'à 1200 km. On pense que les mégaptères chantent pour signaler leur position et indiquer leur sexe à leurs congénères.

Queue de Mégaptère

• MAMMIFÈRES MARINS •

Phoques et otaries

Il y a 50 millions d'années environ, des mammifères qui ressemblaient aux loutres de mer actuelles étaient amphibies : ils vivaient à la fois sur terre et dans l'eau. Progressivement, ils se mirent à passer plus de temps dans la mer. Leurs pattes avant et arrière raccourcirent et se transformèrent en nageoires. Ils grandirent et leur corps se couvrit d'une épaisse couche de graisse pour se protéger de l'eau froide des océans. Il y a 10 millions d'années, apparurent les Pinnipèdes : phoques, otaries et morses. Aujourd'hui, il existe 14 espèces d'otaries, qui ont des oreilles petites mais visibles, et qui peuvent tourner leurs nageoires avant pour marcher à terre. Il n'existe qu'une seule espèce de morse, mais 19 espèces de phoques, sans oreilles visibles, qui se déplacent à terre en rampant comme des chenilles. Les pinnipèdes se nourrissent de crabes, de poissons et de calmars. Le Léopard de mer des eaux antarctiques chasse aussi les manchots, tandis que le Morse, qui vit dans l'Arctique, utilise ses défenses pour trouver des coquillages et des crabes.

DEMI-PORTION
L'Éléphant de mer mâle, le plus grand de tous les phoques, atteint 6,10 m de long et pèse jusqu'à 4 tonnes. La femelle, ci-dessus, est deux fois plus petite que le mâle.

LE SAVIEZ-VOUS ?

Les défenses du Morse mâle peuvent atteindre 68 cm de long. Les morses s'en servent pour déterrer les coquillages de la vase en eau peu profonde, se hisser hors de l'eau sur les bancs de glace, et combattre les autres mâles en vue de s'approprier des femelles.

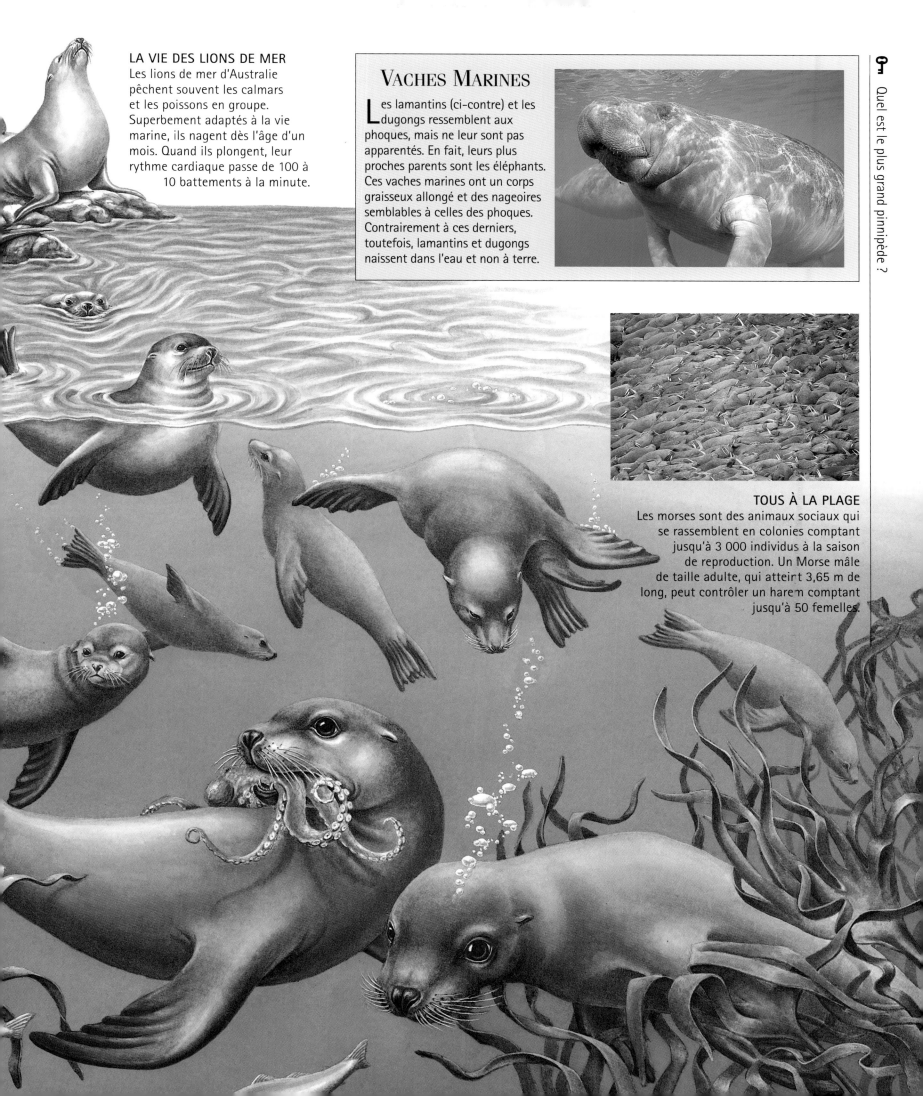

LA VIE DES LIONS DE MER

Les lions de mer d'Australie pêchent souvent les calmars et les poissons en groupe. Superbement adaptés à la vie marine, ils nagent dès l'âge d'un mois. Quand ils plongent, leur rythme cardiaque passe de 100 à 10 battements à la minute.

VACHES MARINES

Les lamantins (ci-contre) et les dugongs ressemblent aux phoques, mais ne leur sont pas apparentés. En fait, leurs plus proches parents sont les éléphants. Ces vaches marines ont un corps graisseux allongé et des nageoires semblables à celles des phoques. Contrairement à ces derniers, toutefois, lamantins et dugongs naissent dans l'eau et non à terre.

TOUS À LA PLAGE

Les morses sont des animaux sociaux qui se rassemblent en colonies comptant jusqu'à 3 000 individus à la saison de reproduction. Un Morse mâle de taille adulte, qui atteint 3,65 m de long, peut contrôler un harem comptant jusqu'à 50 femelles.

Les mammifères menacés

Au moins 27 espèces de mammifères ont disparu depuis 200 ans, et plus de 136 autres sont rares ou en danger. Certaines espèces, comme la Panthère des neiges, le Tigre et d'autres grands félins, sont victimes de leur magnifique fourrure. D'autres, comme les loups ou les pumas, ont été tués parce que l'homme les croit dangereux. Le Phoque moine de Hawaii et plusieurs espèces de baleines à fanons ont presque été exterminés pour leur chair ou leur fourrure. La plupart des mammifères sont menacés parce que leurs habitats sont détruits, mis en culture, exploités ou drainés.

Wombat à narines poilues

Putois à pieds noirs (Amérique du Nord)
Le Putois à pieds noirs, qui vit du Canada au Texas, est en danger parce que des pratiques agricoles, comme l'empoisonnement des chiens de prairies, l'ont privé de sa proie principale.

Phoque moine de Hawaii (Hawaii)
Il existe deux ou trois espèces de phoques moines. Le Phoque moine des Caraïbes est peut-être déjà éteint et le Phoque moine de Méditerranée est menacé par la pollution. Le Phoque moine de Hawaii est

Phoque moine de Hawaii

menacé parce que des milliers d'individus ont été massacrés dans les colonies de reproduction des îles hawaiiennes. La population du Phoque moine de Hawaii semble remonter quelque peu, mais on connaît si peu de choses sur cette espèce, qu'on ne peut être certain qu'elle survivra.

Wombat à narines poilues du Queensland (Australie)
Préférant les terrains dégagés et secs aux forêts, le Wombat à narines poilues du Queensland n'a jamais été aussi répandu que le Wombat commun. En fait, il était inconnu jusqu'en 1869. Il était autrefois présent du sud de la Nouvelle-Galles du Sud au centre du Queensland, mais il disparut rapidement après l'arrivée des colons européens. Aujourd'hui, on ne le trouve plus qu'à l'est du Queensland, qui n'est qu'une très petite partie de son aire initiale de répartition.

Grand Panda (Asie orientale)
Le Grand Panda a toujours été rare, car il ne se reproduit pas très souvent. L'espèce est en danger depuis le début de ce siècle, parce qu'elle a été chassée pour sa fourrure et sa viande, et que son habitat a été détruit par l'agriculture. Beaucoup de pandas meurent de faim lorsque les bambous dont ils dépendent fleurissent puis meurent, tous les 50 ou 100 ans.

Bison d'Europe (Europe)
Mesurant 2 m au garrot, le Bison d'Europe est le plus grand mammifère européen. L'espèce s'est éteinte à l'état sauvage lorsque

Tamarin-lion doré

les derniers bisons furent tués en Europe orientale dans les années 1920. Toutefois, quelques-uns subsistaient dans les zoos et des bisons issus de troupeaux captifs furent réintroduits avec succès en Pologne et dans le Caucase.

Tamarin-lion doré (Amérique du Sud)
Cinq des 19 espèces de tamarins-lions, qui vivent toutes en Amérique tropicale, sont menacées. Comme certaines sont devenues des animaux de compagnie, des milliers furent capturés et transportés par bateaux vers les autres continents – un voyage qui en tuait la plupart. Le Tamarin-lion doré, toutefois, est menacé par la destruction et l'exploitation de son habitat forestier.

Baleine franche
La Baleine franche, la plus rare des baleines à fanons, était presque éteinte dans les eaux européennes dès 1700. En 1785, une compagnie baleinière nord-américaine fit faillite parce qu'il ne restait plus assez de baleines franches à chasser. Aujourd'hui, il ne reste probablement que quelques milliers de Baleines franches dans le monde.

Ordres de Mammifères

Monotrèmes
Les monotrèmes sont des mammifères pondeurs d'œufs qui vivent en Australie et Nouvelle-Guinée. Il en existe trois espèces : l'Ornithorynque, l'Échidné à nez court et l'Échidné à nez long.

Marsupiaux
Les marsupiaux vivent en Amérique du Nord et du Sud, en Australie et en Nouvelle-Guinée. Il y a environ 280 espèces, des possums aux koalas et kangourous.

Édentés ou Xénarthes
Les édentés comptent 29 espèces de fourmiliers, paresseux et tatous. Ils mangent des insectes ou des feuilles et vivent en Amérique centrale et Amérique du Sud.

Pholidotes
Les sept espèces de pangolins vivent en Afrique et en Asie du Sud-Est. Leur corps est protégé par une peau écailleuse coriace.

Insectivores
On compte 365 espèces d'insectivores, comprenant les minuscules musaraignes, les taupes et les hérissons. Les insectivores vivent sur tous les continents sauf l'Australie et l'Antarctique.

Macroscélidés
Ce sont les 15 espèces de rats à trompe, insectivores, qui passent tout leur temps au sol et ne vivent qu'en Afrique.

Scandentiens
Il existe 16 espèces de tupayes, vivant seulement en Asie, se nourrissant d'insectes et ayant des caractères communs à la fois avec les primates et les insectivores. Une seule espèce est nocturne, les autres sont actives de jour comme de nuit.

Dermoptères
Les deux espèces de cynocéphales vivent en Asie du Sud-Est. Ils se déplacent d'arbre en arbre en planant.

Chiroptères
C'est le deuxième plus grand groupe de mammifères. Il existe 977 espèces de chauves-souris, dont l'envergure va de 10 cm à 1,50 m.

Primates
La plupart des 201 espèces de primates sont

Roussette

des singes, des tarsiers et des prosimiens arboricoles, comme les lémuriens. Les grands singes sont les plus grands primates.

Carnivores
Les mammifères carnivores vivent sur tous les continents. Il existe 269 espèces, dont 34 espèces de phoques, otaries et morses.

Tubulidentés
Cet ordre compte une seule espèce : l'Oryctérope, à pattes courtes et long museau. Ce fourmilier de la taille d'un porc vit seulement en Afrique, au sud du Sahara.

Siréniens
Les quatre espèces de lamantins et de dugongs vivent dans les eaux chaudes et peu profondes du Pacifique occidental et de l'océan Indien, en Amérique du Nord et du Sud et dans les rivières d'Afrique de l'Ouest.

Hyracoïdes
Il existe huit espèces de damans, ressemblant à des lapins. Ils vivent en Afrique et au Moyen-Orient et partagent certains caractères avec les éléphants.

Proboscidiens
Les deux espèces sont les plus grands mammifères terrestres : les éléphants. L'un vit en Afrique, l'autre en Asie.

Périssodactyles
Les 16 espèces de chevaux, tapirs et rhinocéros – les ongulés à doigts impairs – sont originaires d'Afrique, d'Asie et d'Amérique du Sud.

Artiodactyles
Il existe 194 espèces d'ongulés à doigts pairs, comprenant les cochons, cerfs, dromadaires, hippopotames, antilopes, girafes, moutons, chèvres et vaches. Elles sont originaires de tous les continents, sauf l'Australie et l'Antarctique.

Cétacés
Les 77 espèces de baleines, dauphins et marsouins se rencontrent dans toutes les mers du monde. Il existe aussi cinq espèces de dauphins d'eau douce.

Lagomorphes
On connaît 65 espèces de lapins et de lièvres. Elles sont originaires d'Afrique, d'Europe, d'Asie et d'Amérique du Nord et du Sud. Certaines ont été introduites en Australie et dans les îles du Pacifique.

Rongeurs
Avec 1793 espèces, c'est le plus grand ordre de mammifères. Les rongeurs vivent partout sauf en Antarctique.

Note : Les mammifères ont été divisés ici en 20 ordres. Certains scientifiques pensent qu'il y a seulement 15 ordres de mammifères, tandis que d'autres considèrent qu'il y a 23 ordres. Ceci est dû au fait que la taxonomie, qui est l'étude de la classification des animaux, change au fur et à mesure que les scientifiques en apprennent davantage sur les mammifères et sur leurs liens de parenté.

Buffle africain

Glossaire

Ours malais

Ouakari chauve

Kangourou avec un jeune dans sa poche

Otarie mâle et son harem

Langur

Adaptation Changement qui intervient dans le comportement ou la morphologie d'un animal, et qui lui permet de survivre et de se reproduire dans de nouvelles conditions.

Animal à sang chaud Animal capable de maintenir constante la température de son corps, quelle que soit la température extérieure. Les oiseaux et les mammifères sont les seuls animaux à sang chaud.

Artiodactyle Ongulé, ou mammifère à sabots, qui possède un nombre de doigts pair. Les artiodactyles ont deux doigts, comme les chameaux et dromadaires, ou quatre, comme les cerfs, vaches, moutons, chèvres et girafes.

Carnassière Molaire spéciale aux bords tranchants utilisée par les carnivores pour découper la viande avant de l'avaler.

Carnivore Animal qui se nourrit principalement de viande. La plupart des mammifères carnivores sont prédateurs, ou chasseurs, mais certains sont prédateurs et charognards. Beaucoup de carnivores mangent également des plantes.

Charognard Animal qui se nourrit de cadavres d'autres animaux – souvent les restes d'un animal tué par des prédateurs. Les hyènes, comme les vautours, sont des charognards.

Crétacé Période de la préhistoire qui s'étend de -145 à -65 millions d'années. C'est au cours de cette période que Marsupiaux, Monotrèmes et Placentaires firent leur apparition.

Écholocation Système de navigation dont se servent certains animaux qui utilisent les sons plutôt que la vue ou le toucher pour se diriger. Dauphins, marsouins et surtout chauves-souris ont recours à l'écholocation pour se situer, repérer leurs proies et détecter des obstacles.

Édenté Mammifère placentaire, comme les tatous, fourmiliers et paresseux, qui se caractérise par l'absence totale (ou presque totale) de dents.

Éteint Sans aucun survivant. Depuis 200 ans, au moins 27 espèces de mammifères ont disparu, ou se sont éteintes.

Évolution Changements progressifs, au cours de nombreuses générations, des espèces animales et végétales qui s'adaptent à de nouvelles conditions ou de nouveaux habitats.

Évolution convergente Phénomène par lequel deux animaux différents et non apparentés, vivant dans des régions du monde distinctes, évoluent vers une morphologie et un mode de vie semblables.

Garrot La hauteur des animaux marchant à quatre pattes est mesurée à l'épaule, appelée garrot. On parle donc de hauteur au garrot.

Habitat Endroit où vit un animal ou plante. De nombreuses espèces d'animaux vivent dans le même environnement (par exemple, une forêt), mais chacune vit dans un habitat différent au sein de cet environnement. Certains mammifères vivent dans les arbres, tandis que d'autres vivent au sol.

Herbivore Mammifère qui se nourrit uniquement de plantes. Certains mammifères herbivores mangent des feuilles, des écorces ou des racines. Beaucoup d'ongulés mangent seulement des feuilles.

Hibernation Longue période de sommeil très profond. Certains mammifères mangent autant qu'ils peuvent avant l'hiver, puis se blottissent et s'endorment dans un endroit abrité. Ils consomment la graisse qu'ils ont accumulée, ralentissent leur respiration et leur rythme cardiaque pour économiser l'énergie jusqu'au printemps.

Insectivore Mammifère qui se nourrit seulement ou principalement d'insectes (et d'autres invertébrés). Certains insectivores mangent aussi de la viande, comme des grenouilles, lézards et souris.

Invertébré Animal qui n'a pas de vertèbres. Beaucoup d'invertébrés ont le corps mou, comme les vers de terre, les sangsues ou les poulpes, mais beaucoup ont un squelette externe dur, comme les crabes et les coléoptères.

Jurassique Période de la préhistoire qui s'étend de -208 à -145 millions d'années. Au cours de cette période, les mammifères étaient encore très petits. Ils différaient assez peu de leurs ancêtres du Trias. Tous ces mammifères sont aujourd'hui éteints.

Lagomorphes Lièvres et lapins. Bien que les lagomorphes ressemblent aux rongeurs, ils possèdent des différences importantes. Un lagomorphe, par exemple, a des poils sous les pattes et pas de glandes sudoripares.

Mammifère Animal à « sang chaud », qui allaite ses petits et dont la mâchoire inférieure est formée d'un seul os. Bien que la plupart des mammifères soient couverts de poils et donnent naissance à des petits entièrement formés, d'autres, comme les baleines et les dauphins, n'ont pas de poils, ou d'autres encore, comme les monotrèmes, pondent des œufs.

Marsupial Mammifère qui donne naissance à des petits pas complètement formés. Ces jeunes doivent être protégés dans une poche (où ils se nourrissent de lait) avant de pouvoir se déplacer seuls. Opossums, koalas et kangourous sont des marsupiaux.

Menacé Animal (ou plante) en danger d'extinction. Un animal ou une plante peut être menacé par les changements environnementaux ou les activités humaines.

Monotrème Mammifère primitif ayant gardé de nombreux caractères reptiliens. Les monotrèmes pondent des œufs. Il existe trois espèces de monotrèmes : l'Ornithorynque et deux espèces d'échidnés, vivant tous en Australie et Nouvelle-Guinée.

Multituberculés Groupe de mammifères éteint, qui vivaient dans l'hémisphère Nord. Ils ressemblaient à des rongeurs, mais ne sont apparentés à aucun mammifère actuel. Ils se sont éteints il y a 50 millions d'années environ.

Nocturne Animal qui est actif la nuit et dort le jour. Certains mammifères nocturnes ont des adaptations spéciales, comme des grands yeux et de grandes oreilles très sensibles, ou de longues « moustaches », pour les aider à trouver leur chemin dans l'obscurité.

Omnivore Mammifère qui se nourrit à la fois de plantes et de viande animale. Les ours et de nombreux primates, y compris l'homme, sont omnivores. Ils ont des dents et un appareil digestif conçus pour digérer toutes sortes d'aliments.

Ongulé Mammifère à sabots. Il existe trois grands groupes d'ongulés : les éléphants et les damans ; les périssodactyles, ou ongulés à doigts impairs (chevaux, zèbres, hippopotames et tapirs), et les artiodactyles, ou ongulés à doigts pairs (chameaux, dromadaires, cerfs, vaches, moutons, chèvres).

Opposable (pouce) Pouce qui peut toucher le bout de tous les autres doigts de la main, ce qui permet d'attraper des objets. Tous les primates ont un pouce opposable.

Périssodactyle Ongulé, ou mammifère à sabots, qui possède un nombre de doigts impair. Un

périssodactyle a trois doigts, comme les tapirs et les rhinocéros, ou un seul, comme les chevaux et les zèbres.

Koalas

Pinnipèdes Mammifères marins qui ont des pattes avant en forme de nageoires en éventail. Ce sont les phoques, otaries et morses. Ils les utilisent pour se propulser rapidement dans l'eau, sans grand effort.

Placentaire Mammifère qui ne pond pas d'œufs (comme les monotrèmes) et ne donne pas naissance à des petits qui doivent être protégés dans une poche (comme les marsupiaux), mais dont les petits se développent à l'intérieur du corps de la mère grâce à un organe spécial appelé placenta.

Pangolin

Prédateur Mammifère qui se nourrit uniquement ou, surtout, d'autres animaux qu'il tue lui-même. Les prédateurs sont principalement carnivores.

Préhensile Qui peut s'accrocher, agripper. Certains mammifères arboricoles ont des pieds préhensiles ou une queue qui peut être utilisée comme un membre supplémentaire pour se maintenir efficacement dans les arbres quand ils se nourrissent, grimpent ou dorment. Les éléphants ont un « doigt » préhensile au bout de la trompe, qui leur permet d'attraper de petits morceaux de nourriture.

Rhinocéros blancs

Prosimien Primate primitif, comme les lémuriens, galagos, loris et tarsiers.

Régurgiter Ressortir de la nourriture de l'estomac jusqu'à la bouche. Beaucoup d'ongulés utilisent ce processus pour digérer plus efficacement leur nourriture. Il s'agit de la rumination.

Thérapsides Reptiles préhistoriques qui possédaient un orifice dans le squelette en arrière de l'orbite. Celui-ci servait de point d'ancrage aux muscles des mâchoires. Les mammifères descendent de ces reptiles Thérapsides.

Rats des moissons

Trias Période de la préhistoire qui s'étend de -245 à -208 millions d'années. Les premiers mammifères sont apparus vers la fin de cette période.

Vertébré Animal qui possède des vertèbres. Tous les vertébrés ont un squelette interne constitué d'os et de cartilage.

Xénarthes Autre nom scientifique des Édentés.

Mégaptère ou Baleine à bosses

63

Index

Crédits photographiques

(h = haut, b = bas, g = gauche, d = droite, c = centre, C = couverture, D = dos, F = fond)
Ardea, 32c (B. Arthus), 36hd (J.P. Ferrero), 21hc (P. Morris). Kathie Atkinson, 17bd. Auscape, 45bd (E. & P. Bauer), 15hg (T. De Roy), 17bc, 25bd (J.P. Ferrero), 15hc, 46bc, 46bg, 61bd (Ferrero/Labat), 60hg (A. Henley), 7hd (Jacana), 61hc (Jacana/Photo Researchers/M.D. Tuttle), 16hcd, 18bc, 19hd (D. Parer & E. Parer-Cook). Australian Museum, 10hd. Australian Picture Library, 55hd, 26hg, 43hd (Minden Pictures), 12bc (Minden Pictures/F. Nicklin), 18hg, 54hcg, 54hg (ZEFA). Bruce Coleman Limited, 29hd, 50c (F. Bruemmer), 20hg (J. Burton), 48cg (G. Cubitt), 30hd (P. Davey), 20bd (F.J. Erize), 53hc (Jeff Foot Productions), 49hg (D. & M. Plage), 7hcd, 59hcd (H. Reinhard), 51hd (J. Shaw), 15hd, 35hg (R. Williams), 26bd, 27bg (K. Wothe), 12hg (G. Zielser). The Image Bank, 38hcg (P. McCormick), 7hg (J. van Os). Images of Nature, 38/39c (T. Mangelsen). International Photographic Library, 33hc. Magnum, 31bd (M. Nichols). Mitchell Library, State Library of New South Wales, 17hg.

NHPA, 9cd (H. Ausloos), 49hd (A. Bannister), 41hd, 44hg (N.J. Dennis), 28bc (K. Schafer), 32hd (M. Wendler), 31hc (A. Williams). The Photo Library, Sydney, 13hd (N. Fobes/TSI), 37hc (K. Schafer/TSI), 29bd, 46cd, 55hc, (A. Wolfe/TSI). Planet Earth Pictures, 13bd (R. Coomber), 36cg (A. Dragesco), 47cg (K. Lucas), 40hcg (K. Scholey), 56bg (J.D. Watt). Tom Stack & Associates, 21bd, 59hd (D. Holden Bailey), 7cd (B. Parker), 8hg (R. Planck), 60bg (E. Robinson), 60hd (D. Tackett), 35hd, 39hd (B. von Hoffmann), 58bg (D. Watts). Merlin D. Tuttle/Bat Conservation International, 22bc, 22hg.

Illustrations

Alistair Barnard, 24cg. André Boos, 3, 4bg, 32/33c, 32bc, 32g, 33d. Martin Camm, 1, 28hc, 28cg, 28bg, 34hg, 34cg, 48/49c, 48bg, 56h, 57hd, 62bg, 62hcg. Simone End, 6bg, 6hd, 18cg, 19hd, 38bg, 38hg, 39hg, 54/55c, 54bd, 55hg, 58/59c, 58bc, 58hg, 62bcg, 62cg, 62hg, 63hd.

Christer Eriksson, 6/7c, 18/19c, 28/29c, 34/35c, 56/57c. Tim Hayward/Bernard Thornton Artists, UK, 2g, 12/13c, 12bg, 13cd, 63bd. David Kirshner, 8/9b, 8cg, 9hc, 9c, 9hd, 42g, 42h, 47h, 47d, 63cd, 63hcd. Frank Knight, 4/5c, 36/37c, 36bg, 37d, 40/41c, 40hc, 40hg, 41hc, 41cd. John Mac/Folio, 20/21c, 20hc, 20bg, 22/23c, 22cg, 22bg, 23hd, 50/51c, 50g, 50b. James McKinnon, 24/25c, 24hc, 24bg, 52/53c, 52hg, 53hg, 53hd, 63bcd. Trevor Ruth, 14/15b, 14hg, 43-46c, 46bd. Peter Schouten, 4hg, 5bd, 5hd, 10/11c, 10hg, 10bg, 10bc, 11hd, 11hcd, 26/27c, 30/31c, 31hd, icons. Kevin Stead, 16c, 16bg, 16hd, 17hd. Rod Westblade, endpapers.

Couverture

Auscape, F (M. Freeman). Simone End, DCbd. Christer Eriksson, FCc. John Mac/Folio, FChd. The Photo Library, Sydney, FCcd (A. Wolfe/TSI). Kevin Stead, DChg.